朝日新書
Asahi Shinsho 768

翻訳の授業

東京大学最終講義

山本史郎

朝日新聞出版

はじめに

英語好きのあなたに質問です。

I wish I knew.

を、あなたならどう訳しますか？

大学に入ったばかりの学生に、「この文を訳してごらん」というと「私は知っていればなあ」と訳します。「なぜそんな風に訳すの？」と尋ねると、「学校で教わったから」とか、「そう訳さないと入試で減点されるから」と答えます。

「君、いままでの生涯の中で、人に向かってそんな風に話したことある？」と尋ねると、「あるわけないですよ」と答えます。「じゃあ、私は知っていればなあって、ようするにどういう意味？」と尋ねると「知らないってことだよ」と答えます。「なんだ、分かってるじゃん！ なんでそう訳さないの？」とさらに追求すると、「そんなの訳じゃないでしょ？」と逆襲されることがあります。

“I wish I knew.”は、例えばエンターテイメント系の小説や洋画の字幕だと、たいてい「知らなかった」というような感じで訳されていると思います。とても自然ですね。ごく日常的なことばです。この訳は、翻訳者が原文を読んできちんと情景を頭に描きだし、その中に入り込んで自分のことばとして発している、生きたことばです。

あなたはどちらがいいと思いますか？
おそらく、何の迷いもなく後者を選ぶでしょう。

では、次にもう少し高級な例をご覧いただきましょう。
イギリスの文豪チャールズ・ディケンズの『クリスマス・キャロル』というファンタジー物語はご存知でしょうか？
今でいうサラ金のような商売をしているスクルージという老人が主人公です。この会社はマーリーという人物との共同経営でしたが、この人は7年前に死んでいます。ところがクリスマス・イヴの夕方、一人さびしく食事をすませたスクルージのところに、このマーリーの幽霊が現れました。
スクルージは恐怖におののきますが、相手がホンモノの幽霊だということを信じようとしません。「夢は五臓六腑の疲れ」ということわざがありますが、食べたものが悪かったので腹具合がおかしくて、そのせいで見えている幻影にすぎないのだと言いはります。

「感覚なんて、腹具合が少しでも悪いと狂っちまうじゃないか。お前なんか、消化できなかったビーフのかけらかも知れんじゃないか！ お前なんか皿になすりついたからしだ！ チーズのはしくれだ！ 生にえポテトのちっぽけな断片だ！」と言った後で、パンチラインを付け加えます。

> There's more of gravy than of grave about you,
> whatever you are!

実直に訳してみましょう。「何者かはしらんが、お前には墓場的なところよりも、肉汁的なところが多いぞ」とでもなるでしょうか。「お前はチーズだ、ポテトだ」などと言ったので、「墓場よりも食べ物に縁がある」という意味内容のことを述べているのですが、grave と gravy というよく似た語を並べたジョークを飛ばしているというわけです。

このジョークを４通りに訳してみました。

a) おまえさんがなんであろうと、グレーヴ（墓場）よりはグレーヴィ（肉汁）のほうが縁がありそうだ。
b) 何れにしてもお前さんは墓場(グレーヴ)よりも肉汁(グレーヴィ)の方に縁がありそうだよ。
c) きみの正体はよくわからないが、墓場のにおいよりも、肉汁のにおいが、ぷんぷんするよ。
d) 何にしても、あんた、恨(うら)めしやより、裏(うら)の飯屋(めしや)に縁があるぞ！

それぞれ何を狙っているか、簡単に説明しておきましょう。

a) は英語の音が近いという情報を伝えることで、ジョークであることを説明している訳です。b) は語の意味を伝えることが主目的ですが、同時にルビによって音の情報をも表現してジョークであることを読者に教えています。c) は原作でどのようなジョークが仕組まれているかを伝えることはあきらめ、意味を伝えています。d) は原作の意味を離れ、もとのジョークと同じ構造のジョークを日本語で創作して、読者を愉しませようとしています。

さて、あなたはどれがよいと思いますか？

教室で尋ねると、たいてい、b) と d) に票が分かれます。ただ、好き嫌いを述べるだけなら、雑談にすぎません。仲良しクラブのファン投票ならそこで終わってよいのですが、翻訳の授業と銘打つならば、なぜ好きなのか、嫌いなのか、きちんと説明できなければいけません。

b) を推す人は、原作がどのように書かれているか分かるからよい、と言います。これに対して d) を選ぶ人は、原作の読者が笑うところで、翻訳の読者も笑えるのがよい、と説明します。

そしてさらに、b) は「起点テクスト重視」で d) は「目標テクスト重視」だと言えば、これはもう立派な翻訳論です。ただし、残念なことに、多くの議論はこのような学術用語をペタリと貼り付けたところで終わってしまいます。大事なのはその後です。次の段階として、どちらの翻訳を好むにせよ、「自分はなぜそれがよいと思うのか」と自問しなければなりません。そして、自分の判断の背後には何があるのかを考え、自分が無意識のうちに何を前提としていたのか、というところへと考えを深めることから、本当の学問がはじまります。こうして同じ考えを共有する者たちがどんな無意識の前提をもっているか、あぶり出していくのが翻訳研究であり、文化の研究です。

私は30年以上にわたって東京大学で、主として英語や翻訳について研究し、教えてきました。2019年の３月に退職するのを記念して、親切な同僚の方々や学生の皆さんが「最終講義」の機会をもうけてくださり、これまでの考えをまとめる機会を得ました。そして本書には、日ごろ教室で教えていたことを、最終講義の内容に加えてご紹介しました。

この本は、このような長年の経験をもとに、書かれてあるものを「文法的」に正しく解釈し、辞書のことばで置き換えるのが翻訳だと思っている人の「常識」を破壊し、「英語（外国語）とは何だろう？　翻訳とは何だろう？」という疑問を、きちんと論理的なかたちで、どこまでも深く深く掘り下げていこうと思って書きました。

のろまな私が30年もかかって知り得たことを、すべて皆さんにも知っていただき、皆さんがそこから出発して、ことばや翻訳についてもっともっと深く理解できるようにと願いながら書きました。皆さんの踏み台、跳躍台になれることを目指して書きました。

めくるめく翻訳の冒険に、いざ出発！

2020年5月

山本史郎

翻訳の授業
東京大学最終講義

目　次

第7章　翻訳と文体

—どうやって「似せる」か—

第8章　翻訳革命

—新たな翻訳論への旅立ち—

本文・帯デザイン＝吉田考宏

第1章　『雪国』の謎

―人間の思考はすべて「翻訳」だ―

> 国境の長いトンネルを抜けると雪国であった。夜の底が白くなった。信号所に汽車が止まった。[1]

おなじみ川端康成の『雪国』の出だしです。断片が1935年からいくつかの雑誌に発表され、1937年にまとめられて一篇の小説となりました。その後も改稿や章の追加が行われ、1948年に創元社から出版されて完結しました。

英訳が出たのは1957年のことです。翻訳したのはアメリカ人で日本文学の翻訳で名高いサイデンステッカーです。この翻訳の出版がきっかけとなって仏独伊などいくつかのヨーロッパ言語への翻訳がなされ、川端康成が「世界文学」の大舞台へと一躍躍り出ることとなり、1968年のノーベル文学賞の受賞へとつながりました。

夜の底とは何か

いまからこの作品の冒頭の１段落をめぐってこれまでにどんな言説があるのかを眺めてみようと思います。まずはその前に原文の意味を確認しておきましょう。この段落は３つの文で構成されていますが、問題は２つ目の文です。「夜の底が白くなった」とはどんな光景を表そうとしているのでしょう？ これは言語の高度に詩的な用例であり、読んだ瞬間に意味が透明に伝わってくるわけではありません。

この文はあまりに有名、日本文化の一部となっているので、日本で生まれ育って、今まで一度も見たり聞いたりしたことがないという人はいないでしょう。多くの人にとって、いつ出会ったのか思い出すことはできないけれど、気がついたら自然に知っていたというような名文句です。

「ほら、あの川端康成の有名な一節、何だっけ？」と言われたら、すらすらと言えるでしょう。だけどあらためて「それってどんな意味？」と聞かれたら、たいていの人は「あまり深く考えたことないけれど……」と言葉を濁したくなるのではないでしょうか？

私自身、きっちり考えたことはないものの、ぼんやりとしたイメージはありました。そして、サイデンステッカーの英訳をはじめて見たとき、身のほど知らずにも「これは誤訳だ！」と思ってしまいました。英訳はこうです。

> The train came out of the long tunnel into the snow country. The earth lay white under the night sky. The train pulled up at a signal stop. (Kawabata1957, p.3)

２つ目のセンテンスを愚直に訳すなら「黒い空のもと大地が白く横たわっている」です。つまり、暗い夜空の下に雪の積もった大地がぼんやりと白く見える、といった風景が描かれています。ところが、この有名すぎる原文の一節が知らず知らずのうちに私の心に描いていたのは、トンネルを抜けて雪国に入ると、真っ黒だった夜空がぼんやりと明るくなった、というようなイメージだったのです。

問題は原作に用いられている「底」という語です。

例えば「海の底に油田がある」や「ワイングラスの底に澱が沈んでいる」などという場合の「底」という用例では、上下がはっきりと意識されています。サイデンステッカーの訳が、原文の「底」の意味をこのように捉えていることは明らかです。すなわち、ぶあつい闇の層の下に沈殿したかのように雪が積もっている、というイメージです。

これに対して、私の「底」のイメージからは重力の作用が抜け落ちています。すなわち、上下とは無関係に捉え、「奥」とほとんど同義です。喩えるとすれば、昔の行灯のようなものです。雪国に入ったら、和紙のおおいの奥に火がともったように、空の奥の方がうっすらと白んだと、そんなふうに私は感じていたのです。

これは語感として奇妙でしょうか？　日本語母語話者の風上にもおけない国語力でしょうか？

「いやいや、とんでもない」と、逆に私は胸をそらします。

我輩の語感こそ正しいのだ、根拠だってしっかりとあるのだと。例えば夏目漱石の『虞美人草』には「見上げる頭の上には、微茫(かすか)なる春の空の、底までも藍を漂わして」(漱石　3，p.5) という一節があり、『坊っちゃん』には「相変らず空の底が突き抜けたような天気だ」(漱石　2，p.254) と書かれているではないかと、私は漱石先生を盾に威張ってみせます。

とはいえ、「夜の底」は元来、川端康成の発明ではありません。少なくともこの表現をはじめて使ったのが川端だとはいえません。芥川の「羅生門」にすでに、「下人は……またたく間に急な梯子を夜の底へかけ下りた」（芥川p.136）という文が見えます。この文脈だと意味は明確で、「真っ黒な空間の下の方」という意味以外にはありえません。

というわけで、悔しいけれど、サイデンステッカーに軍配をあげて、ひとまず「夜の底」は重力を含んだ表現だということにしておきましょう。

神が語るか、人が語るか

問題の段落のサイデンステッカー訳は、一般には異論もあったようですが、英語関係の人たちから名訳中の名訳とされてきました。そして、日本語と英語の言語としての違いを解き明かすための好例として、たびたび用いられてきました。

例えば、熊倉千之氏の『日本人の表現力と個性』では、「国境の長いトンネルを抜けると雪国であった」の一文について、サイデンステッカーの英訳は、「書き手の主観的な『声』を排除して、雪国の景色は汽車も夜も雪国を『外』から、いわば神のような全知の視点で捉えられていると読むことができる」（熊倉p.62）と述べられています。

そしてさらに、「日本人が観察によって世界を認識する過程とは異なり、西欧の言語はア・プリオリに存在する世界を先取りしているということだ。日本語との根本的な差異は、具象に対する抽象、主観に対する客観、内なる言語に対する外なるものだ」（熊倉p.63）と述べられているところから、原作と英語訳の表現の違いが、日本語と西欧語の本質的な差異と関連づけられていることが分かります。

日本語が主観的で西欧語は客観的というのは本当でしょうか？

それについては、私はなんとも言えませんが、そんな主観的な言語しかもたない日本人が、どうして科学中心のノーベル賞を今世紀世界3位となるほど多数受賞できたのかなと、理屈でも何でもなく素朴に考えてしまいます。

しかし、議論の筋道として、言語に内在する違いから『雪国』の原作と英訳の違いが生じているというのは、どうも奇妙です。

なぜなら、サイデンステッカーの訳はたしかに、語り手の視点から離れて、神の全知の視点から書かれているかもしれませんが、英語でも個人の視点からものを述べることはちゃんとできます。問題の一文は、例えば、

> Through the long border tunnel — and it was the snow country!

とでもいえば、汽車に乗っている人がいままさに体験していることを話しているという形の文になります。

では、逆に、日本語から「書き手の主観的な『声』」を排除することはできないのでしょうか？

言うまでもなく、できないはずがありません。例えばこれはどうでしょう？

> 島村の乗った汽車は、国境の長いトンネルを抜け、雪国へと入った。そこには暗い夜空のもと白い大地が広がっていた。汽車は信号所に止まった。

この文章は神さまが語っているのだと言われても、おかしくはありません。少なくとも個人の視点はきれいに排除されています。たしかに「誰かが語っている」という感じはあるかもしれません。しかし、それをいうなら、ヨーロッパ言語で書かれたどんな小説だって同じことです。たとえ同じように神の視点から書かれている文章でも、ジェイン・オースティンとチャールズ・ディケンズとヘンリー・ジェイムズをまちがえることなど絶対にありえません。

どのような視点で書かれているか？　それは言語の問題ではなく様式の問題です。英米で好まれる小説作法は全知全能の神が書いているかのような、語り手の主観が極力排除されたものです。それに対して、日本では作者個人の声や視点が地の文にまでにじみ出ているようなスタイルが、小説の文体として好まれます。それだけのことです。語り手のスタンスが神の視点か、人の視点かという違いと言語の差異を直接結びつけるのは、はっきりいって論理の飛躍です。

夜のお尻は何色？

では、次に「夜の底」に目を転じます。

あなたは英語の先生で、大学生を前に英作文を教えているとします。「夜の底が白くなった」が課題文です。ある学生が‘The bottom of the night turned white.’と訳しました。さあ、あなたはこの学生に向かって何と言いますか？

「ねえ、君、『底』は‘bottom’だから、『夜の底』なら‘bottom of the night’でいいだろうなんて、安易すぎるんじゃないの？ そんな英語があるもんか！ もっと頭を使え、頭を！」

などと言って、ここぞとばかりにお説教を垂れるのではないでしょうか？

英語教師の鑑として、翻訳批評で有名な別宮(べっく)貞徳先生にお伺いをたててみましょう。

> この英語は全く意味をなさない表現で、これを読んだイギリス人あるいはアメリカ人はきっと吹き出すに違いない。nightは時間的な概念であって、決して空間的な概念ではない。空間ではないのだから上も底もあり

> ようがないし、それは別としても、「bottom（尻）が白くなった」とは、いささかeroticなobsceneな連想をしてしまう……。（別宮p.85）

意味の通る翻訳がすべて！

ほんの少しだけこの不運な学生の弁護をしてあげましょう。別宮先生のお説教の中で、「nightは時間的な概念であって、決して空間的な概念ではない」というのは、厳密にいって正しくありません。日本語の「夜」が夜の闇という空間的な意味をも担っているのと同じことで、nightも暗闇という三次元的概念を意味することがあります。例えば'Terrified, he ran into the night.'というと、「彼はパニックを起こして家を飛び出し、夜の闇の中に駆け出していった」という意味です。

それはともかく、'bottom of the night'が英語として意味をなさないというのはまったくその通りです。じっさい別宮先生のお説教は英語教師が学生に向かって日夜唱えている教訓です。ここで「意味をなさない」というのはチョムスキーの有名な非文'Colorless green ideas sleep furiously.'（無色の緑色のアイデアが激烈に眠る）と同じく、発話はできるが、何ら意味を結ばない、という意味です。

別宮先生の主張は、煎じ詰めれば「翻訳は普通の読者が読んで意味の通じるものでなければならない」というものです。現在の時点でこれに反対する人はまずいないでしょうが、別宮先生が翻訳の質について積極的に発言していた1970、80年代[2]までは、それこそ意味の通じない翻訳が大手をふって流通していたので、このような発言は議論の余地なく重要なものでした。そしてその後、翻訳の質が一般に向上してきたように思います。別宮先生のこのような指摘は、社会的功績がきわめて大きかったと私は思っています。

しかし、はしなくも別宮先生の主張のなされた社会的背景を登場させてしまいましたが、これはある歴史的・文化的文脈の中で発言されたものだということをも、我々はしっかりと認識しておかなければなりません。すべて人の発言というのはそんなものですが、とくに翻訳について考えるときには、その歴史的背景を考えないでは意味をなしません。すなわち(a)どんな歴史的・文化的背景か、(b)読者は何者か、(c)翻訳の目的は何か、などの点についての分析が不可欠です。

様々な『雪国』

では、そのことを念頭に置きながら、『雪国』の冒頭の段落が、いくつかのヨーロッパ言語で実際にどのように表現されているのか、観察してみましょう。

(1) 英語（1957）

The train came out of the long tunnel into the snow country. The earth lay white under the night sky. The train pulled up at a signal stop. (Kawabata1957, p.3)

(2) イタリア語（1959）

Il treno sbucò dalla lunga galleria nel paese delle nevi. La campagna si stendeva bianca sotto il cielo notturno. Il treno si arrestò a un segnale.

(Kawabata1959, p.11)

(3) フランス語（1960）

Un long tunnel entre les deux régions, et voici qu’on était dans le pays de neige. L’horizon avait blanchi sous la ténèbre de la nuit. Le train ralentit et s'arrêta au poste d'aiguillage. (Kawabata1960, p.15)

(4) ドイツ語（1968）

Als der Zug aus dem langen Grenztunnel herauskroch, lag das »Schneeland« vor ihm weit ausgebreitet. Die Nacht war weiß bis auf ihren Grund. An der Signalstation hielt der Zug.

(Kawabata1968, p.9)

それぞれについて、最初の２文のみ、日本語の「直訳」[3]を以下に並べましょう。

(1´) 英語

汽車は長いトンネルを抜けて雪の国へと入った。夜の空の下に大地が白く横たわっていた。

(2´)イタリア語

汽車は長いトンネルをくぐって雪の国へと入った。夜の空の下に、平野が白く広がった。

(3´)フランス語

二つの地域の間の長いトンネル、そして、今や（人は）雪の国にいる。夜の闇の下に、地平線が白くなった。

(4´)ドイツ語

汽車が長い国境のトンネルから這い出したとき、その（彼の？）前に雪国が大きく広がった。夜はその底（下）まで白かった。

第1文について見ると、文法的な形式では英語とイタリア語が類似していて、フランス語とドイツ語でまったく違っている点が面白いですね。つまり、英語とイタリア語が「汽車は○○を抜けてXXへ」というシンプルな構文であるのに対して、フランス語では「二つの地域の間のトンネル」という名詞句がまず置かれ、「そして、今や……」という慣用表現、続いて「人は○○にいる」というセンテンスとなります。ドイツ語は「○○のときにXX」といういかにも理屈っぽい構文です。

なぜこんなに文法形式が違っているのでしょう？ 答えは単純です。それぞれの言語において、それぞれの国のスタンダードな小説の始まりとしてもっとも自然な表現が選ばれている、ということです。どちらも「さあ、これから物語がはじまるぞ」と読者に感じさせるような書き方になっています。

ドイツ語訳はその典型です。カフカの『変身』も、『雪国』と同じようにals（=when）で始まっています。

> Als Gregor Samsa eines Morgens aus unruhigen Träumen erwachte, fand er sich in seinem Bett zu einem ungeheueren Ungeziefer verwandelt. (Kafka p.5)
> （ある朝、グレゴール・ザムザがなにか気がかりな夢から目をさますと、自分が寝床の中で一匹の巨大な毒虫に変わっているのを発見した。）（カフカ p.5）

また、イタリア語では汽車についてsbucare（穴から抜け出す）、ドイツ語ではkriechen（這う）という動詞が選ばれているというのも、その言語にとってこなれた自然な表現を、という考慮から出たものでしょう。

このような分析から、冒頭の文の訳はどれも、その言語や文学にとって自然な形式を与えようとしている、ということができます。

解釈の一例

第1文については、言語ごとに表現の形式は様々ですが、それによって表されている「意味」はほぼ同一であるということができます。これに対して、第2文の「夜の底」の文はどうでしょう？

英訳からは、真っ暗な夜空の下に、白い大地が広がっているという風景が目に浮かんできます。イタリア語訳は英訳を参考にしたという但し書きがあるくらいで、英語版をほぼ踏襲しています。フランス語だと、「空は真っ暗だが、地平線が白い」というのですから、白いのはあたりの地面ではなく、遠くの地面であり、しかも地面とも空ともつかず不分明なところから、むしろ夜明けが近く、白み始めている空を連想させます。

では、ドイツ語訳はどうでしょう？ 「夜は底（下）まで白い」というのですから、空全体がぼんやりと白んでいるということを意味します。これは先にあげた私の理解と同じです。（私の読みははるか異国の地に知己を見出したではありませんか！）

ここまでのところを整理しておきます。英（伊）訳では真っ暗な空の下に白い地面が広がっている風景、仏訳では空は真っ暗だが地平線が白んでいる風景、独訳では闇全体がぼんやりと明るくなった情景を描いています。なんとも奇怪な現象です。各国語訳で想像されている風景がなぜこうも違っているのでしょうか？

単純にいうなら「原文が曖昧だから」というのが答え

です。

では、「曖昧」というのはどういう意味でしょう？

これを考えるヒントは、表現の抽象性のレベルというところにあります。

そもそも原作の「夜の底」という表現は風景そのものの描写ではありません。「夜」と「底」という本来結びつかない語を無理やり連接することによって、風景から具体性を奪い、抽象化した表現を作り出しています。

それを前にして、各国語の訳はこの抽象的な表現を解釈し、具体的な風景に転換しています。つまり、抽象的な言述が含みうる一つの具体例の提示になっているのです。それぞれの訳で想像されている風景が英語（イタリア語）、フランス語、ドイツ語で大きく違っているのは、実はそのためなのです。つまり、論理学の用語を借りるなら、それぞれの風景は、「夜の底」という名の集合（クラス）に含まれる個別の例（インスタンス）となっています。

逐語訳

これに対して、このようなインスタンスの提示ではない翻訳法はあるのでしょうか？

それはもちろんあります。逐語訳、すなわち「夜の底」のセンテンスなら'The bottom of the night turned white.'がまさにそれです。これは集合、すなわち「クラス」のレベルの抽象表現をそのまま提示する訳です。そこから具体例を想像することが読者に任されているという点において、作者―読者の関係は原作と同じです。

ただし、表現とインスタンスの距離は、原文の読者と翻訳の読者で同じとは限りません。翻訳先の言語や文化の総体の中でインスタンスがどれほど想像し易いか、し難いか、そもそもそのような表現そのものが文学作品の表現として許容されるのかどうか等々の視点から、翻訳としての当否が議論されることになります。

ところがそのような考慮をすべて呑み込んだ上で、逐語訳はれっきとした一つの方法であると主張する立場が翻訳論にはあります。それこそがあるべき翻訳の方法であると主張する人々がいます。ベンヤミンは「翻訳者の使命」の中で、「逐語性への要請は、その正当さは明らかでも理由が隠されている」(三ツ木p.201)と述べて、その「正当性」を擁護するにとどまらず、それこそが翻訳の目指すべき目標であると主張しました。

ベンヤミンは20世紀の翻訳思想に大きな影響を与え、それは日本文学のスペシャリストであるサイデンステッカーにまで及びました。最晩年のサイデンステッカーは『雪国』を改訳して私家版として出版しました。そして、この『雪国』最終版では、「夜の底」のセンテンスが‘The bottom of the night turned white.’に変更されてしまいました。(4)

サイデンステッカーはなぜこのように変更したのでしょう? あるいは、なぜそのように変更すべきであると考えたのでしょう？ その分析は、この訳が提示された歴史的文脈、文化状況、出版形態など様々なファクターが絡んでいて興味深い課題です。

詩的代替物

では、翻訳の方法として考えられるのは、(a)インスタンスの提示、(b)逐語訳、の２種類だけでしょうか？

いや、そうではありません。

各国語の訳のうち、英訳、伊訳、仏訳が、まさに「目に浮かぶ」ような風景の描写であることに注目しましょう。それに対して、独訳はやや微妙です。「夜はその底（下）まで白かった」という表現は具体性という点において英伊仏とは少し異なっているように見えます。

すなわち、独訳では単に解釈の一例を具体的に表現しているのではなく、抽象度において原文と近いように思われます。どういうことかというと、一つの解釈例をそのまま書いたというより、原文の詩的な文の抽象度をなぞり、詩的な文をドイツ語で新たに創作しようとしている、というところに眼目があるように見えます。

このような詩的創作訳を英語でも考えることはできるでしょうか？ そのような例は存在しないのでしょうか？ 実は、それがあるのです。

> Through the long border tunnel — and suddenly it was the snow country. The air sank white deep down the

> night.
> （長い国境のトンネルを抜ける。すると、そこは雪国だった。夜の足もとに空気は白く沈殿した。）

この英訳ではdeep、downと頭韻があり、white、nightと脚韻をも踏んでいる。しかも「雪は空気の沈殿物だ」という詩的な見立てがなされています。すばらしい！ いったい誰の訳でしょう？

お恥ずかしながら拙訳です……。

私は詩心がなく、詩は1行も書けないので、上の自画自賛は冗談ですが、英語をほんとうに駆使できる翻訳者がいれば、すばらしい詩的な散文を書いてくれることは想像できます。

翻訳論の夜明け

以上に述べたことを整理すると次のようになります。『雪国』の翻訳の実際例を分析することによって、詩的味わいの深い散文を翻訳する場合、少なくとも3種類の方法があることが分かりました。すなわち、

(a) 一つの解釈例、具体化
(b) 逐語訳
(c) 詩的表現の相当物

ということになります。

どのような翻訳（法）がよいのかということは、一義的に断定することはできません。それは、翻訳される国や言語、時代的・歴史的状況、文学的なコンベンションの形、どんな読者を想定するか、原文の何に重きを置くか（詩的形姿や感興なのか、解釈の一例なのか、文体なのか、文字通りの表現なのか）等々、様々なファクターによって左右されます。

以上のことを踏まえて、もう1つ、なんとしても付け加えておきたいことがあります。日本語の原文に対して各国語の訳が、集合論のクラスに対するインスタンスの関係にあると述べました。すなわち一見意味が分からない抽象表現に対して、具体的な例を思い浮かべています。よく考えれば、これは、人間がものごとを理解するときに、まさに脳の中で行っていることです。

ジョージ・スタイナーは大著『バベルの後に』でこう述べています。「あらゆる場合における意味の送達と受容が行われるときには、必ず翻訳が含まれている……。理解するとは暗号の解読であり、意味を聴き取るとは翻訳することである」（スタイナーp.xv）と。「あらゆる場合」と断定するのは極端すぎるようにも見えますが、翻訳という行為の重要な一面を教えてくれています。

『雪国』の様々な翻訳を眺めていると、翻訳論という暗い夜空がようやくうっすらと白んできたような気がします。

第2章
「同化翻訳」と「異化翻訳」
―アメリカの翻訳者には顔がない―

日本では、「村上春樹訳のチャンドラーが好きです」とか、「『チョコレート工場の秘密』を河合祥一郎の訳で読んでみたい」などという会話がふつうに交わされます。しかし、これは決して世界標準というわけではありません。では、英米でのスタンダードな翻訳観はどのようなものでしょうか？

新聞紙

三島由紀夫の「新聞紙（がみ）」という短編があります。少々長いですが、最初の４段落を読んでください。

> 敏子の若い良人（おっと）はいつも忙しい。今夜も十時まで妻と附合って、それから自分の車を運転して、妻を置いて、次の附合へ行ってしまう。良人は映画俳優である。敏子は自分のついて行けない良人の夜の附合を、みんな我慢しなければならない。
>
> 敏子はタクシーをやとって、一人で牛込払方町の家へかえるのに慣れている。家には二歳になる赤ん坊が待っている。それでも敏子は、今夜もうすこし、外で遊んでいたいのである。
>
> 家の洋風の広間へ、夜一人でかえるのがいやである。そこにはあれだけ洗ったのに、まだ血痕（けっこん）が残っているように思われる。
>
> あの云（い）いようのない混乱の後始末が、ようやく終わったのが昨日である。今夜は久々で気晴らしをする晩

に、良人が最後まで附合ってくれるものとばかり思っていた。しかし良人はプロデューサアの麻雀（マージャン）の附合に誘われてしまった。今夜はもしかすると帰らないかもしれない。（三島 p.391）

情報の刈り込み

付き合いの多い映画俳優の夫をもった、妻の寂しさが伝わってきますが、「血痕」とか、「あの云いようのない混乱」という言葉によって何らかのドラマが仄めかされています。

この原文を、日本文学の著名な翻訳者だったアイヴァン・モリスがどう翻訳したか、ご覧ください。（英文の後に、それを訳した日本語訳をつけておきます。）

He was always busy, Toshiko's husband. Even tonight he had to dash off to an appointment, leaving her to go home alone by taxi. But what else could a woman expect when she married an actor — an attractive one? No doubt she had been foolish to hope that he would spend the evening with her. And yet he must have known how she dreaded going back to their house, unhomely with its Western-style furniture and with the bloodstains still showing on the floor. (Mishima p.175)

彼—敏子の夫—はいつも忙しい。今夜でさえ人との約束に急行しなければならず、敏子は一人タクシーで家に帰るはめとなった。だが、俳優、それも魅力的な俳優と結婚した女性が、それ以外の何を期待できようか。今夜は自分とすごしてくれると期待するなんて、たぶん彼女が馬鹿だったのだ。とはいえ、彼女が家に帰るのをどれほど恐れているか、夫には分かっているはずだ。西洋風の家具がよそよそしい家……、それに床にはまだ血痕が残っているのだ。

「えっ、これだけ」と驚かれるのではないでしょうか？第一、原作には4つの段落があるのに、英訳では1つ。文字の量もかなり減っています。日本語ばかりか、西欧語同士の訳でも、一般に翻訳することによって量が増えるというのが通則ですが、上の場合は真逆です。しかもそれが一見して分かるほど顕著です。

では、なぜ量が減っているのでしょうか。答えは簡単、盛られている情報がザクザクと削られているからです。

「十時まで妻と附合って」、「自分の車を運転して」という詳細がカットされています。「牛込払方町」も「二歳になる赤ん坊が待っている」も「プロデューサアの麻雀」も「今夜はもしかすると帰らないかもしれない」もありません。そしてよく見ると、情報の刈りこみだけではありません。「混乱の後始末が、ようやく終わったのが昨日である」と書かれていますが、英訳では、「床にはまだ血痕が残っている」というふうに、変えられています。

新たな創造

いったい何が起きているのでしょうか？ 翻訳者は何を行っているのでしょうか？「原作の情報を取捨選択して、完璧な英語の段落に転換した」というのが正解です。

その目で、あらためて英語の文章を仔細に観察してみましょう。

いきなり「彼」で始めるのは、読者を最初の瞬間から物語の中に投げ込む、英米小説の常套手段です。そして、まず「いつも忙しい」と言っておいて、「今夜でさえ」とつなぐのは、いかにも英語です。「みんな我慢しなければならない」を日本の大学生だったら実直にshe had to put up withなどと訳しますが、what else could she expect...「それ以外の何を求められるだろう」なんて、心憎いばかりです。そしてwhen（becauseでなく！）以下に理由がきます。「夫は映画俳優で」は原文にありますが、「それも魅力的な俳優だから」と付け加えるのは、いかにも英語のリズムです。

少し先に飛びましょう。最後のセンテンスに注目です。敏子が家に帰るのを「恐れている」というのを読むと、読者は「あれっ」と思います。「恐れる」は非日常的な事柄を予想させるからです。コンマのあとは理由です。第一に「西洋風の家具があって家庭的ではない」ですが、「でも、それって怖がること？」と読者を不審に思わせ、最後の最後に本当の理由を言います―「床に血痕が見えている」と。読者は「えっ」と驚きます。最後にドカンと爆弾がおとされて好奇心が炸裂し、夢中で先を読み進めます。

あきれるほど自然で流暢です。見事な英語の文章、英語流に書かれた段落です。

どのようにして、この翻訳が出てきたのか、私は次のように想像します。

> 翻訳者は原文を読み終えると本をとじ、しばし瞑目、どんな物語なのかを考える。そして、一人のイギリス人作家として、同じ物語を英語で創作しようとペンをとり、おもむろに書き始める—He was always busy...[1]

同化翻訳と異化翻訳

これはきわめて極端な例ですが、このようなスタンス、すなわち「最初から英語で書かれたかのような英語に翻訳する」というのは、英米の翻訳ではスタンダードなものです。原作の特徴や文体がまったく反映されていないというのが理想です。また翻訳者の地位はきわめて低く、たいていは名前すら出ません。報酬も、日本では印税で支払われることが多いのですが、アメリカでは書いた語数に対して支払われるのが基本です。

そんな状況に憤ったのがローレンス・ヴェヌティというアメリカの翻訳者・研究者でした。『翻訳者の不可視性』という主著の第1章で、ヴェヌティはアメリカにおいて翻訳者が黒子のような存在にすぎず、いかに日陰者のような待遇であるかを縷々説明し、「最初から英米人が書いたかのように読める」翻訳を期待するのは文化的な帝国主義であると断定します。そしてこのようなイデオロギー分析をもとに独自の翻訳理論を展開します。[2]

ヴェヌティの理論は、翻訳を「同化翻訳」と「異化翻訳」という二つのカテゴリーに分けます。現代の英米でスタンダードな、「最初から英米人が書いたかのように読める」翻訳が「同化翻訳」、それに対して、明らかに翻訳であることが分かるように、オリジナルの言語の言い回しや構文が見えるように訳すのが「異化翻訳」です。言うまでもなく、「異化翻訳」こそが目指すべき翻訳法だというのがヴェヌティの主張です。

桐壺

それが具体的にどのようなものなのか、日本の古典を素材にして説明しましょう。

『源氏物語』の第一帖「桐壺」は、たいていの人が高校の教科書で出会ったことがあるのではないでしょうか。原作の冒頭は次の通りです。

> いづれの御時にか、女御更衣(にょうご かうい)あまたさぶらひたまひける中(なか)に、いとやむごとなき際(きは)にはあらぬが、すぐれて時めきたまふありけり。[3]
> (どの帝の御代であったか、女御や更衣が何人もお仕えしておられた中に、たいして重々しい家柄ではない方で、目

> だって帝のご寵愛をこうむっていらっしゃる方があった。)
> (紫式部p.93)

ウェイリー源氏

「桐壺」の冒頭の一節ですが、世界ではじめて全編を日本語以外の言語に訳したアーサー・ウェイリーの、英訳版(1921年から33年にかけて出版)をご覧いただきましょう。

> At the Court of an Emperor (he lived it matters not when) there was among the many gentlewomen of the Wardrobe and Chamber one, who though she was not of very high rank was favoured far beyond all the rest.... (Waley p.7)

現代語訳がていねいに解釈しながら訳しているので原作より長くなっているのは当然でしょう。しかし、単純な比較はできないものの、ウェイリー訳がそれに輪をかけて長くなっていることに、まず注目したいと思います。

その理由の一つは、時代的にも地理的にもまるでかけ離れた文化の中で生きている読者にも意味が分かり、内容がイメージできるよう、訳文に説明的な情報が入っているからです。例えば、原作の「いづれの御時にか」は、'At the Court of an Emperor (he lived it matters not when)' となっています。20世紀の英米の読者には、これがそもそも宮廷の話だというところから説明が必要です。また「女御更衣あまたさぶらひたまひける」は、'many gentlewomen of the Wardrobe and Chamber' と、宮廷の女官であることが分かるよう、ていねいに訳されています。

ここまでで、すでに「同化翻訳」の特徴が出ています。すなわち、courtという語を用いることによって、英米の読者の脳裏にはイギリス王室の宮廷イメージがただちに浮かびます。それぞれの経験や教養に従って、アーサー王、ヘンリー八世、エリザベス一世などの宮廷を具体的に思い浮かべる人もいるかもしれません。さらにgentlewomanは宮廷の女官であり、wardrobeやchamberもイギリス王室の役職名に用いられる語です。こうして、しょっぱなから平安時代の宮廷は、イギリス王室の宮廷へと衣装がえをします。

英国流の典雅な文体

次に、文章に注目しましょう。いわゆる挿入句を括弧で囲むと、第1文はAt the Court of an Emperor (he lived it matters not when), there was[among...] one, who [though...] was favoured far beyond all the rest...となります。one, who...と関係代名詞が用いられていること、その中にthoughに導かれる従属節が挟まっていること、さらにit matters not whenという古風な表現などもあり、とても複雑で、高級な文体という印象です。20世紀前半に人気のあった作家がよく用いた文体です。例えばチェスタートン、リンド、モームなどに親しんでいる人にはおなじみの調子です。

このように、ウェイリーの訳は文化的な同化作用と、20世紀初頭イギリスの物語文学の文体が特徴的ですが、このことは、サイデンステッカー訳と比較すれば歴然と浮かび上がってきます。

> In a certain reign there was a lady not of the first rank whom the emperor loved more than any of the others.
>
> (Seidensticker p.3)

これだけです。「いづれの御時にか」は'In a certain reign'、ほぼ単語に単語を置き換えただけです。ウェイリー訳で'many gentlewomen of the Wardrobe and Chamber'とていねいに説明されていた部分も、the othersですませています。文章という点でも、事務的と言いたくなるほど、飾り気のない単純な構成です。

さらにもう一箇所、数行あとの文章を比較してみましょう。

> 朝夕（あさゆふ）の宮仕（みやづかへ）につけても、人の心をのみ動かし、恨みを負ふつもりにやありけん、いとあつしくなりゆき、もの心細げに里（さと）がちなるを……。
>
> （朝夕の宮仕えにつけても、人の気をもませてばかりいて、

恨みを受けることが積もり積もったせいであったろうか、すっかり病弱になってゆき、なんとなく淋しく頼りなげな様子で里下がりが多くなるので……。）（紫式部p.93）

（ウェイリー訳）
Thus her position at Court, preponderant though it was, exposed her to constant jealousy and ill will; and soon, worn out with petty vexations, she fell into a decline, growing very melancholy and retiring frequently to her home. (Waley p.7)

(サイデンステッカー訳)
Everything she did offended someone. Probably aware of what was happening, she fell seriously ill and came to spend more time at home than at court. (Seidensticker p.3)

ウェイリー訳は「彼女の宮廷での地位は高くはあったが、彼女をたえざる嫉妬と悪意にさらした」となっています。原作の「人の心をのみ動かし」という抽象的な言い方から「嫉妬と悪意」という具体的な解釈を行い、彼女をそれに「さらす（expose）」という風に複雑かつ装飾的で、文体的に高級な表現を用いています。これに対して、サイデンステッカーは「彼女が行ったことのすべてが誰かを怒らせた」とごく平凡に、一切の装飾なしに表現しています。

異化翻訳とは何か

ここでもウェイリー訳の「同化」的特徴が明らかですが、極めつけは、この少し後に出てきます。桐壺の父親はすでに亡く、母がこの娘の世話をしていますが、

> 取りたてて、はかばかしき後見(うしろみ)しなければ、事ある時は、なほ拠(よ)りどころなく心細げなり。
> 　前(さき)の世にも、御契(ちぎ)りや深かりけん、世になくきよらなる玉の男皇子(をのこみこ)さへ生まれたまひぬ。(紫式部p.94)

と書かれています。最初の文は、要するに「後ろ盾となる人がいないので母親は心細い思いをしていた」と述べていますが、続いて、いきなり「前の世にも御契りや深かりけん、世になくきよらなる玉の男皇子(をのこみこ)さへ生まれたまひぬ」、すなわち「娘は玉のような男の子を産んだ」という文が続きます。

まずサイデンステッカーをご覧いただきます。

> The sad fact was that the girl was without strong backing, and each time a new incident arose she was next to defenceless.
> 　It may have been because of a bond in a former life that she bore the emperor a beautiful son...

> (Seidensticker p.4)

淡々と原文が辿られています。これに比してウェイリー訳はこうです。

> It would have helped matters greatly if there had been some influential guardian to busy himself on the child's behalf. Unfortunately, the mother was entirely alone in the world and sometimes, when troubles came, she felt very bitterly the lack of anyone to whom she could turn for comfort and advice. But to return to the daughter. In due time she bore him a little Prince who... (Waley p.7)

「娘には後見人がいなかった」ということを述べるのに、仮定法過去が用いられ、「もしも力のある後見人がいたらよかったのだが」と書かれています。その後に逆説でつなぐ際に"Unfortunately,"という接続句を用いるのは英語の文章の常套句中の常套句です。

ここまでは既に述べたことの延長線上にありますが、その先が重要です。最後のほうの'But to return to the daughter.'（「しかし娘の話に戻ろう」）という一文に注目してください。サイデンステッカー訳にはありません。原文にもありません。ウェイリーはなぜこのような文を追加したのでしょう？

それは、母親が娘の世話をしきれないことを嘆いている文の後に、娘が子を産んだという文を何のつなぎ言葉もなく続けるのは、あまりにも唐突だからです。少なくとも、それは通常の英語の物語の書き方ではありません。

こんなとき、英米文化では「ここで話を娘のことに戻すと」というような接続句の挟まるのがスタンダードです。英米の読者には、それがないと自然に感じられません。だから、ウェイリーはこの決まり文句を入れたのです。これがまさに「同化翻訳」の真髄です。

上に引用させていただいた小学館の注釈版では、現代の読者が読みやすいように段落分けがなされていますが、あえて紫式部の原文を尊重することにして、「ここで話を娘のことに戻すと」というような接続詞を入れず、段落も変えない英語の訳がなされたと仮定しましょう。英米読者は文と文のつながりに、なんとはなしに不自然さを感じるはずです。そして、ものを考える人なら、異国の物語だからそうなんだろう、と想像するでしょう。あえて原作の文章の行文をいかすことで、そのように感じさせることこそが「異化翻訳」のポイントです。「異化翻訳」とは、よく誤解されているように、単語レベルの置き換えと、文法構造の模倣だけではありません。

羅生門

さて、芥川龍之介の「羅生門」はご存知でしょうか？このすばらしい短編小説を教科書で読んだという人も多いのではないでしょうか？

平安時代の京が舞台です。ある夜のこと、奉公先をしくじって路頭にまよった若い男（下人）が雨に降りこめられて、都大路の羅生門の下で雨宿りをします。すると、門楼の上のほうに、ちらと怪しい光が揺れます。さては狐狸妖怪のしわざかと下人はおののきますが、はしごを上がって見ると、幽鬼と見まがわんばかりの老婆が若い女の死骸のわきにうずくまっています。何をしているのかと下人が尋ねると、死人の髪を売って食いつなぐのだと答えます。下人は老婆の身ぐるみを剥いで、夜闇の中に消え去ります。

老婆の着物を奪うとき、「では、己が引剥（ひはぎ）をしようと恨むまいな。己もそうしなければ、餓死をする体なのだ」（芥川 p.135）と下人が言います。

英訳を2種類ごらんいただきます。

(1) You won’t blame me, then, for taking your clothes. That’s what *I* have to do to keep from starving to death.

(2) Then it’s right if I rob you. I’d starve if I didn’t.

どちらが「同化翻訳」でどちらが「異化翻訳」か分かりますか？

(2) は日本語がなんとなく透けて見えるようで、こういう風にだったら自分でも英作文できそうだなと思った人はいませんか？ これに対して、(1)はまるでアメリカ映画のセリフみたいですね。You won't blame me.は「恨むまいな」という日本語を「直訳」したように見えるかもしれませんが、Don't blame me.というのは「俺のせいじゃないよ」という意味の、きわめて日常的な表現なので、とくに異国の言語を意識した「直訳」とはいえません。

では、(1)が「同化翻訳」で、(2)はそれを是正しようとわざと日本語らしさを残した「異化翻訳」でしょうか？ 種明かしをしましょう。(1)は2006年出版のジェイ・ルービンによる翻訳（Akutagawa2006, p.8-9)、(2)は1952年にタトルから出されたものです。ハワード・ヒベットの序文がついていますが、翻訳したのは小島嶽という日本人です（Akutagawa1952, p.33)。

(1)はヴェヌティの定義にぴったりの「同化翻訳」ですが、(2)は同化翻訳・異化翻訳という概念が誕生するはるか以前になされた、意図せざる異化翻訳であるということができます。このような訳が当時の英米文化によってどのように受容されたのか、とても興味深い問題です。

しかし、それよりもっと面白いことがあります。(2)は、「恨むまいな」の部分を「正しい」（right）という語に置き換えています。「恨むまいな」は「仕方のないことだ」くらいの消極的な意味であるのに対して、「正しい」は明らかにそれとはニュアンスが違います。日本語の原作に、強い解釈が加えられています。

このほかにも解釈が記されている箇所があります。

「そうして失望すると同時に、又前の憎悪が、冷(ひややか)な侮蔑(ぶべつ)と一しょに、心の中へはいって来た」（芥川p.134）という単純な一文が、

> Suddenly she was only a trembling old woman there at his feet. A ghoul no longer: only hag who makes wigs from the hair of the dead — to sell, for scraps of food. A cold contempt seized him. Fear left his heart, and his former hatred entered. (Akutagawa1952, p.32)
> （突然、彼女は彼の足もとで震えているただの老婆になった。もはや食屍鬼ではなかった。死人の髪でかつらを作る老婆にすぎなかった。それを売って、わずかばかりの食べ物を手に入れるのである。冷たい軽蔑が彼をとらえた。心から恐怖が去り、さきほどの憎悪が入ってきた。）

というふうに長々と説明をつけて訳されています。なぜこのようにしたのでしょう？「日本文学は西洋人には分からない」というような「常識」に慮って、懇切丁寧な訳を心がけたのでしょうか？

さらに驚くべきことに、作品をとじる重要な一文も変えられています。

「下人の行方(ゆくえ)は、誰も知らない」（芥川p.136）が、

> Beyond this was only darkness...unknowing and

unknown. (Akutagawa1952, p.34)

という曖昧で詩的な一文に変貌しています。'unknowing and unknown' は似た語を並べたリズムの良い表現ですが、文法的には曖昧で、それゆえ様々な解釈を許します。

近現代の日本文学がこれから本格的に紹介され、西欧文明の中で認知されていこうとする時期、いわば第二次大戦終了後にむかえた第二の「開化期」にあった当時、日本の側からの翻訳がどのような意識で行われていたのか、同時期の西欧語から日本語への翻訳者の意識や慣行との関連で、とても興味ある研究テーマです。

第3章

視点と語り

―文化圧とは何か―

翻訳は、文化の壁とどう付き合うのでしょうか？

二つの文化の間で対応するモノがないとか、習慣が違うのでそれをどう言い換えるかというようなエピソードはよく耳にします。しかし「文化の違い」というのは、そんな単純な話でしょうか？

オリエント急行の謎

『オリエント急行殺人事件』というミステリーはご存知の方が多いでしょう。かつて「推理小説の女王」と称されたアガサ・クリスティーの代表作の一つで、1974年にはアルバート・フィニー、ショーン・コネリー、イングリッド・バーグマンなど当時の超有名俳優をそろえて映画化され、2017年には演出家のケネス・ブラナーが探偵エルキュール・ポアロ役を演じた映画が公開されました。ITV制作のテレビドラマ版はもちろんデイヴィッド・スーシェが主演です。ちなみに、あのたまご形の頭とちょび髭はどうみてもポアロです。

2015年には日本でもテレビドラマが作られました。舞台は太平洋戦争前の日本で、ポアロを演じたのが野村萬斎、これがなかなかよかった。脚本と演出は三谷幸喜です。２部構成で、第１部は原作の物語そのままですが、第２部の物語として、原作にない殺人にいたるまでの人間ドラマが加えられ、存分に楽しむことができました。さすが三谷幸喜監督です。

名探偵ポアロが寝台特急の「東洋」に乗ろうとします

が、あいにく寝台車は満席。旧知の仲である鉄道会社の重役（高橋克実）がその場にいて、まだ来ていない客はいないのかと車掌（西田敏行）に尋ねます。車掌が「宮本さまが」と答えると、ポアロをそこに案内するよう命じます。ためらう車掌に向かって、重役が「その客は遅すぎたよ」と言うと、すかさずポアロが「宮本武蔵は刻限に遅れます」という不思議なセリフを吐きます。重役は「うまいことおっしゃる」と返します。

不在のハリス夫人

このやりとり、意味は分かりますか？

剣豪宮本武蔵と佐々木小次郎といえば、巌流島の戦いが有名です。果たし合いの約束をしたのに、武蔵は刻限を過ぎても現れません。ひどい遅刻をすることで強敵である佐々木小次郎をじらせて、精神的に優位な状況を得ようとする武蔵の作戦でした。だから「宮本武蔵は刻限に遅れます」。

それにしても、原作ではどうなっているのでしょう？

発車の時刻がきても現れない客は、A.M.Harrisという男性です。これに対して、ポアロが 'I read my Dickens. M. Harris,[1] he will not arrive.'（Christie p.22）と言います。

ディケンズの小説にはきわめて個性的な人物が多数描かれています。あまりに個性的なので、作品の枠をはみだして、名前がイギリス文化や、英語そのものの中に残っている人物が何人もいます。楽天家といえばMr

Micawber（ミコーバー氏）、無類の好人物といえばMr Pickwick（ピクウィック氏）、凶暴な強盗といえばBill Sikes（ビル・サイクス）といった具合です。『マーティン・チャズルウィット』という小説にMrs Gamp（ミセス・ギャンプ）という妙な名前の女性が登場します。職業は看護師ですがアルコールが大好き、いつも酩酊しています。とてもおしゃべりで、よく「ミセス・ハリス」がこう言った、ああ言った、などと話すのですが、実はこのミセス・ハリスというのは架空の人物です。つまり、この酔っぱらい看護師がてきとうにでっち上げた人物です。このことから、「ミセス・ハリス」というのは「存在しない人物」という意味になります。

言うまでもなく「ミセス・ハリス」は日本文化には存在しません。そこで、三谷監督は、視聴者が原作の読者とほぼ同じ反応ができるよう、文化的相当物を仕掛けました。すなわち「ムッシュー・ハリス」という記号で表されていた「不在の者」という意味を、「（巌流島の）武蔵」という記号で表現することで文化の壁を乗り越えています。

精霊の守り人

これは比較的単純な例ですが、もう少し微妙な例を見ましょう。

2007年にNHKの大河ファンタジー『精霊の守り人』が放送されて話題になりました。日本発の本格ファンタジーの、迫真の映像を楽しまれた方も多いのではないでしょうか。上橋菜穂子さんの原作をのぞいてみましょう。第1章の第3、4段落で、主人公のバルサが紹介される一節です。

> すりきれた旅衣をまとい、ずだ袋をみじかめの手槍（短槍）にひっかけてかついだバルサは、しかし、眉ひとつうごかさずに、ゆらゆらゆれる鳥影橋をわたりはじめた。バルサは今年三十。さして大がらではないが、筋肉のひきしまった柔軟なからだつきをしている。長いあぶらっけのない黒髪をうなじでたばね、化粧ひとつしていない顔は日にやけて、すでに小じわがみえる。
>
> しかし、バルサを一目みた人は、まず、その目にひきつけられるだろう。その黒い瞳にはおどろくほど強い精気があった。がっしりとしたあごとその目をみれば、バルサがよういに手玉にはとれぬ女であることがわかるはずだ。—そして、武術の心得のある者がみれば、その手ごわさにも気づくだろう。（上橋p.6）

> (....The rickety bridge swayed precariously in the wind.)
>
> Balsa, however, stepped forward without hesitation. Her long, weather-beaten hair was tied at the nape of her neck, and her face, unadorned by makeup, was tanned and beginning to show fine wrinkles. She carried a short spear over her shoulder with a cloth

> sack dangling from the end; her compact body was lithe and firmly muscled under her threadbare travelling cloak. Anyone versed in the martial arts would recognize her immediately as a formidable opponent. But it was her eyes that truly arrested an observer; darkest black, startlingly intense, they made it clear that she could not be easily manipulated. (Uehashi p.1-2)

情報を整理する

与えられている情報を整理して、出てくる順に並べてみます。

[原作]

第３段落

・持ち物：旅衣、袋、短槍

・場所：ゆれる橋

・動作：橋をわたる

・年齢：今年三十

・体つき＋筋肉：大がらでない、ひきしまった柔軟なからだつき

・髪＋顔：長い黒髪、化粧しない、日やけ、小じわ

第４段落

・印象的な目＋精気ある瞳

・あごと目を見れば、強い精神力のあることがわかる

・武人なら、バルサが武術に長けていることがわかる

[英語版]

(場所：ゆれる橋⇒前の段落の最後へ移動)

・動作：橋を渡る

・髪＋顔：長い髪、化粧しない、日やけ、小じわ

・体つき＋持ち物：短槍と袋、柔軟で筋肉質（旅衣）

・武人なら、バルサが武術に長けていることがわかる

・印象的な目＋精気ある瞳

・目を見れば、強い精神力のあることがわかる

英語の文章構成法

伝えられる情報内容はほぼ同じです。違いといえば、2つの段落が英語版で1つにまとめられているのと、年齢と「あご」が省略されているくらいです。しかし、上の表をよく見れば、情報の出てくる順序が英語版ではきれいに整理され、文と文のあいだに論理的なつながりがつけられていることに気づきます。

「橋がゆれる」という情報は、前の段落へと追い出され、それによって緊密に1つにまとまったこの段落は、橋を渡る主人公の動作から始まります。焦点が人物の上に結ばれたところで、その人物の容貌が紹介され、ついで筋肉のついた肉体へと移り、そのつながりで筋肉から武術的鍛錬のできていることが触れられ、最後に瞳に力があることから強い精神力の持ち主であることが分かり、(武

力と合わせて）「ほんとうに強い人物である」という暗黙の結論が強調されて終わります。

なんともすっきりしています。このように視点を自然なかたちで移しながら、論理的に文を繋いでいくのが、上手な英語の文章です。要するに、ここで行われていることは、日本語の文章に出てくる情報（facts）を、英語固有の接続詞や接続表現を用いつつ、英語の文章で好まれる論理的順序に並びかえるという作業です。

これに比べると、日本語版は、情報が散漫に出てくるような印象があり、文と文の論理的な関係が必ずしも見えるように書かれていません。だから英語は論理的で日本語は非論理的な言語だと、言いたくなるかもしれません。あるいは、作家の文章力と関連づけようとする人もいるかもしれません。でも、それはまちがいです。

前の章の三島由紀夫の「新聞紙」のことを思い出してください。「新聞紙」は極端に情報を省略し、内容を変えてもいますが、一見散漫に見える日本語の文章から、緊密に構成された英語版が作られているという点では同じです。これも「同化翻訳」には違いありませんが、単純な表現やイディオムの問題ではなく、文章の構成の仕方、あるいは文章作法が文化によってまったく違っているということです。

その証拠に、あなたは三島の原作や、『精霊の守り人』の原文を読んで、不自然だと感じましたか？

試しに、前掲の英語版を、文の順序などを変えずに日本語に訳したものを想像してみてください。文章が緊密にできすぎていて、「あっ、翻訳だ」と感じてしまうはずです。このような「日本語訳」と原作がどちらがどっちと分からずに並べられて、どれを読みたいかと訊かれれば、私なら一も二もなく原作を選ぶでしょう。当然のことです。私は日本文化で育ちましたから。これこそが文化のもつ恐ろしい力です。

『ノルウェイの森』

次にご覧いただくのは村上春樹の『ノルウェイの森』です。語り手のワタナベが、永沢という寮の先輩について語っている一節です。原作とJ.ルービンの翻訳をご覧いただきます。

> もっとも彼が隠れた古典小説の読書家であることは寮内ではまったく知られていなかったし、もし知られたとしても殆んど注目を引くことはなかっただろう。彼はなんといってもまず第一に頭の良さで知られていた。何の苦もなく東大に入り、文句のない成績をとり、公務員試験を受けて外務省に入り、外交官になろうとしていた。父親は名古屋で大きな病院を経営し、兄はやはり東大の医学部を出て、そのあとを継ぐことになっていた。まったく申しぶんのない一家みたいだった。小づかいもたっぷり持っていたし、おまけに風采も良かった。だから誰もが彼に一目置いたし、寮長でさえ永

沢さんに対してだけは強いことは言えなかった。彼が誰かに何かを要求すると、言われた人間は文句ひとつ言わずにそのとおりにした。そうしないわけにはいかなかったのだ。（村上 p.67-68）

No one else in the dorm knew that Nagasawa was a secret reader of classic novels, nor would it have mattered if they had. Nagasawa was known for being smart. He breezed into Tokyo University, he got good marks, he would take the Civil Service Exam, join the Foreign Ministry, and become a diplomat. He came from a wealthy family. His father owned a big hospital in Nagoya, and his brother had also graduated from Tokyo, gone on to medical school, and would one day inherit the hospital. Nagasawa always had plenty of money in his pocket, and he carried himself with real dignity. People treated him with respect, even the dorm Head. When he asked someone to do something, the person would do it without protest. There was no choice in the matter. (Murakami p.39)

アメリカに「医学部」はない

ざっと読み比べて、英語版が原作をほぼなぞっていることは明らかです。それにしても、村上春樹の日本語は英語に近いなどとよく言われますが、いざ翻訳するとまるで違ったものになるというところが面白いですね。このルービンの訳はとても自然で読みやすく、私は好きです。が、あえて細かく眺めてみましょう。

一箇所、明らかに文化的な考慮から原作を変えているところがありますが、どこだか分かりますか？

まず永沢の兄についての記述です。'his brother had also graduated from Tokyo, gone on to medical school' と書かれています。日本ではふつう大学の後期課程として（すなわち３年生から）医学を専攻しますが、アメリカでは四年制の大学を出た後メディカル・スクールに入学して医学を学びます。そのことを考慮してルービンの英語版では、アメリカの一般読者に合わせた訳になっています。

ここでさらに注目してほしい点があります。原作の「まったく申しぶんのない一家みたいだった」の一文です。これに相当する英語は 'He came from a wealthy family.' ですが、位置がずれています。すなわち、原作では「父親は名古屋で大きな病院を経営し、兄はやはり東大の医学部を出て、そのあとを継ぐことになっていた」の後に置かれていますが、英語版では、その前に置かれています。

なぜでしょう？ 英語では一般論的なことを述べてから、具体的なことをあげるという習慣があるからでしょうか？たしかに、英語版ではそのような役割を持たされています。その後「小づかいもたっぷり持っていた」と続くからです。

語り手の微妙な気持ち

しかし、原作の「まったく申しぶんのない一家みたいだった」は、はたしてそういう意味でしょうか？ 原作では、「永沢は東大で末は外交官、父は病院経営、兄は東大医学部でそのあと継ぎ、ほんとうに結構なお家ですね」と、絵に描いたような裕福で優等生ぞろいの幸せ一家に対する皮肉なトーンがかすかに感じられます。英語版ではそのような語り手の感情が失われています。

世間的な価値に対する皮肉なスタンスは、「小づかいもたっぷり持っていたし、おまけに風采も良かった。だから誰もが彼に一目置いた」の「だから」にも表れています。要するに「イケメンで金もあればそれだけで世間はちやほやする」ということです。英語版では 'he carried himself with real dignity'、すなわち「正真正銘堂々とした態度だった」と述べられているので、ことさらに皮肉は含まれていません。

したがって、「このあたり」という限定つきですが、語り手（ワタナベ）の性格が少し平板になっているように思います。世間的な価値を馬鹿にしているワタナベの、本来の口調が消えてしまっています。

原作では、上にあげた段落に続く一節で次のような言葉が出てきます。すなわち「永沢という人間の中にはごく自然に人をひきつけ従わせる何かが生まれつき備わっているようだった」、「永沢さんはいくつかの相反する特質をきわめて極端なかたちであわせ持った男だった」、「この男はこの男なりの地獄を抱えて生きているのだ」等々です。

「彼」、「永沢という人間」、「永沢さん」、「この男」と、呼び方がころころ変わります。そこには、語り手の、永沢に対する微妙な距離感が表現されています。英語版ではNagasawaもしくはheであり、主語を指示する記号でしかありません。物語の語りのそのような肌触り（テクスチャ）まで、読者に明らかに見えるように翻訳しようとするのは、不自然さとのトレードオフになり難しいところです。

具体から抽象へ

次に谷崎潤一郎の『蓼喰う虫』の冒頭の段落を取り上げます。まず原作をお読みください。

> 美佐子は今朝からときどき夫に「どうなさる？ やっぱりいらっしゃる？」ときいてみるのだが、夫は例の孰方（どっち）つかずなあいまいな返辞をするばかりだし、彼女自身もそれならどうと云う心地もきまらないので、ついぐずぐずと昼過ぎになってしまった。一時ごろに彼女は先へ風呂に這入（はい）って、どっちになってもいいように身支度だけはしておいてから、まだ寝ころんで新聞を読んでいる夫のそばへ「さあ」と云うように据（す）わってみたけれど、それでも夫は何とも云い出さないのである。
> （谷崎p.5）

次に、サイデンステッカーの訳をお読みください。

> "You think you might go, then?" Misako asked several times during the morning.
>
> Kaname as usual was evasive, however, and Misako found it impossible to make up her own mind. The morning passed. At about one o'clock she took a bath and dressed, and, ready for either eventuality, sat down inquiringly beside her husband. He said nothing. The morning newspaper was still spread open in front of him. (Tanizaki p.3)

原作は1つの段落ですが、たった2つの長い文で構成されています。これに対して英語版では、いくつかの短いセンテンスに分けられているばかりか、段落も2つに割られています。単純で自然な英語はよいのですが、原作のねちねちとした印象は失われています。

面白いのは、「孰方(どっち)つかずなあいまいな返辞をする」がevasive、「どっちになってもいいように」がready for either eventuality、「『さあ』と云うように」がinquiringlyと訳されていることです。この3つに共通するのは、具体的な日本語表現が抽象度の高い英語に蒸留されているということです。それぞれについて具体性を残した、実直な訳をすることもできます。例えば、inquiringlyのかわりに、“as if to say ‘well?’” などと言えなくもありません。そうしなかったのは、翻訳者の無意識の中に「同化翻訳」へのバイアスがあったからだと思います。

クッションに片肘ついて腹ばう？

続きを読んでみましょう。

> 「兎(と)に角(かく)お風呂へお這入りにならない？」
> 「うむ、..........」
> 座布団(ざぶとん)を二枚腹の下へ敷いて畳の上に頬杖(ほおづえ)をついていた要(かなめ)は、着飾った妻の化粧の匂(にお)いが身近にただようのを感じると、それを避けるような風にかすかに顔をうしろへ引きながら、彼女の姿を、と云うよりも衣裳(いしょう)の好みを、成るべく視線を合わせないようにして眺(なが)めた。
> （谷崎 p.5）

> “Anyway, your bath is ready.”
> “Oh.” Kaname lay sprawled on a couple of cushions, his chin in his hand. He pulled his head a little to the side as he caught a suggestion of Misako's perfume. Careful not to meet her eyes, he glanced at her — more accurately he glanced at her clothes — in an effort to catch some hint of a purpose that might make his decision for him. (Tanizaki p.3)

ここでも段落構成に手が加えられています。原作の長い一文がいくつかのセンテンスに分割されている点も同じです。これによって、英語にとって自然な段落構成となっています。典型的な「同化翻訳」です。

では、その他に、原作と英語版で何か違うと感じるところはないでしょうか？

座布団が cushions となっています。これは文化の壁を越えるのに必要な操作です。では、「頬杖をついて」は his chin in his hand でよいでしょうか？　座布団に腹ばいなら両手をつくのが自然ですが、それなら in his hands と複数にすべきではないでしょうか？ あるいは、横向きに寝ているなら、'chin' という言葉には違和感があります。細かいことですが、場面の隅々まできちんと想像が及んでいないという印象を私は持ちます。

失われた視点

しかし、この原作と英語版にはもっと重大な隔たりがあります。それは視点の問題です。

原作にあって翻訳にないものは何でしょう？　「夫」及び「妻」という語です。原作の第１段落では、要という夫の名前すら出てこず、単に「夫」と呼ばれています。ついで第２段落の引用箇所では「美佐子」という名ではなく、「妻」（及び「彼女」）という語が用いられています。

これは何を意味するのでしょう？

第１段落は妻の視点から書かれ、第２段落は視点がころりと転換して、夫の目で描かれているということです。英訳ではこのような視点の操作は無視され、全体が平板化された第三者の視点から描かれています。

なぜでしょう？ 三人称小説がスタンダードである英米文学で、あえて視点をくるくると入れかえると実験小説のようになって、奇妙に目立ってしまうと考えたのでしょうか？ すなわち「同化」への配慮が無意識に介在したのでしょうか？ それとも、原作のこのような視点の転換に、翻訳者が気づかなかったのでしょうか？ アメリカ文化のスタンダードに妨害されて、見えなかったのでしょうか？

どのような事情かは分かりませんが、この翻訳が出版された1955年当時、近代日本文学が西欧の一般読者にはまだほとんど紹介されていないという状況の中で、いやが上にも「同化翻訳」への圧力が強かったのではないかと推測されます。

語りの様式を転換する

物語の語りに話をもどします。第２章の「新聞紙」の議論を思い出してください。アイヴァン・モリスの翻訳は、英語の文章、英語の段落としてきわめて自然であると述べましたが、もう少しその先があります。すなわち「英語の小説として」も自然だということです。

では、「英語の小説として自然」というのはどういうことでしょうか？

アイヴァン・モリスの翻訳はHeで始まっています。41ページでも述べたように「読者を最初の瞬間から物語の中に投げ込む、英米小説の常套手段」です。そこからして英米の小説作法に則っています。

もう一つ、顕著な例を挙げましょう。第2章の引用文の少し後に、原作では次のように書かれています。

> 敏子が想像力の権化(ごんげ)と云ってもよいのに、アメリカ風の背広を着た若い美男の良人には、想像力というものが少しもなかった。もっぱら人の想像力に訴える職業だから、自分でそれをもつ必要がなかったのであろう。
> (三島 p.392)

面白いことに、この段落の内容もモリスの訳からきれいさっぱり消えています。なぜでしょう？

その答えはまさに、そのほうが「英語の小説として自然」だからです。

イギリスの小説は18世紀初頭に出版されたデフォーの『ロビンソン・クルーソー』に始まると言われています。書簡体小説などは除いて、普通の小説には「一人称小説」すなわち「私が」語る物語と、「三人称小説」すなわち登場人物ではなく、「作者が神のような視点から」語る物語の2種類があります。18世紀から19世紀半ばまで、三人称小説といえども、作者が時々顔をだして、個人的な感想やコメントを述べることがありました。しかし、19世紀の半ば以降、三人称小説に作者個人が出てきておしゃべりしない、というのが小説の美学として意識されるようになりました。

この美学の影響は今日にまで及んでいて、英米の小説では作者がやたらに顔を出さないというのが、おおむねスタンダードな様式となっています。そんな小説美学のために、作者のコメントである前掲の段落は削られたのだと思います。つまり、アイヴァン・モリスの英訳、*The Swaddling Clothes*は単に流暢な英語に書き換えるばかりか、語りの様式、すなわち小説の作法まで転換しているのです。

視点を加えると…

では最後に応用問題です。

ルース・レンデルというイギリスの女流推理作家の作品に、*Burning End*（表面の意味は「焼死」）という短編があります。農家に嫁いだ主人公リンダは、仕事をしながら、寝たきりの姑の世話をしています。世話をはじめてから1年ほどたってから、「あっそうか、わたし女だから世話をさせられるんだわ」と気づきました。夫には独身でぶらぶらしている弟がいるのに、母親の世話をしません。

ある日のこと、お義母さんの世話をどうして男性はしないのかと、リンダは夫に尋ねました。夫は、母親は女だから、男には下の世話なんかできない、と言います。

「じゃあお義母さんでなく、お義父さんが寝たきりで残されていたとしたらどう？ やっぱり、私が世話をするの？」とやりこめます。すると夫の反応は以下のように書かれています。さあ、ちょっと訳してみてください。

> Brian looked over the top of his evening paper. He was holding the remote in his hand but he didn't turn down the sound. 'He wasn't left, was he?' (Rendell p.51)

> ブライアンはひらいた夕刊の上から見た。手にテレビのリモコンを持っているが音量を下げない。「残されたの、父さんじゃないだろ？」と言った。

この訳について、どう思いますか？ 意味はあっています。日本語としても不自然ではないし、けっして悪くはありません。ただし三人称の語りで、神のような視点から書かれている原文のスタンスをそのまま引き継いでいるので、平板な印象はまぬかれません。

同じ箇所をリンダの視点から語ってみましょう。

> 夫はこっちを見たけれど、読んでる夕刊を下げもしない。リモコンを持ってるくせにテレビの音は大きいまま。それで「残されたの、父さんじゃないだろ？」ときた。

どうです？ 視点を少し変えるだけでぐっと引きつけられるでしょ？ これはもはや翻訳ではない⁉

第4章

実用と文学のはざま

―AIはなぜ「通訳」を殺すのか―

前章の終わりに、翻訳とは何だろうという疑問に到達しました。このあたりで、きちんとした形でこの問題について考えてみたいと思います。

何を翻訳するの？

どのような分野について研究する場合でも、まず研究の対象が何であるかを明確にしなければなりません。これはしごく当然のことです。

だから、翻訳について話をしようとするなら、まず、翻訳論が対象とするのはどのような種類の文章か、という問題に答えなければなりません。ところがここで早くも問題にぶつかります。

うっかり「文章」と言いましたが、翻訳論の対象は「文章」だけでしょうか？

「翻訳」と聞いてすぐに頭に浮かぶのは、書店にあふれかえっている実用書や小説などの類なので、「文章」と言ってしまいましたが、脇の方から「詩を忘れてもらっては困る」という声が聞こえてきます。

それによく考えてみれば、文字でないものも「翻訳」されます。例えば、黙っている他人（ひと）の気持ちを「翻訳」して、第三者に伝えることがあります。ヒトばかりではありません。犬の気持ちを理解してあげるために、犬語を「翻訳」したりします。「あのキャンキャンはお腹が空いているんだ」などと。いや「ことば」だけでなく、小説を映画化するというのも翻訳に似ています。例を挙げだしたらきりがありません。
　そもそも翻訳とは何か定義されないことには、対象を限定するのは不可能です。

翻訳とは

　では振り出しにもどって、あらためて質問します。翻訳とは何でしょう？
　この質問に答えようとするのが本書の最終的な目標です。だけど、まず「翻訳」とは何かが分かっていないことには何が対象なのか言えず、反面、対象の範囲が決まらないままに「翻訳」を定義しようとしても、とりとめもない議論になりそうです。これでは、いつまでたっても堂々巡りです。
　そこで、とりあえず、常識的な「翻訳」の定義を受け入れることにしましょう。
　すなわち、「翻訳」とは、ある言語の文章を別の言語に移すことだ、ということにします。ただし「文章」には詩も含まれます。人間の言語によって作られる精神的な構築物はすべて含まれるものとします。
　一応このように定義した上で、「翻訳論」が扱うべき対象をきびしく吟味し、そのプロセスの中で「翻訳」の定義を、切れ味の鋭い刃物となるよう、研ぎすましていこうと思います。

鉄道三題

実例に則して考えましょう。いまから鉄道について書かれた3つの英語の文章を見ていただきます。お考えいただきたいのは、この3つがどんな種類の文章かということです。とりあえず(A)には単語の注釈のみ、(B)(C)には訳文をつけておきます。

(A)

Steam locomotives were first developed in Great Britain during the early 19th century and used for railway transport until the middle of the 20th century. From the early 1900s they were gradually superseded by electric and diesel locomotives, with full conversions to electric and diesel power beginning from the 1930s.

(railway transport「鉄道輸送」、supersede「取って代わる」、diesel locomotive「ディーゼル機関車」)

(B)

Stephenson, practical man that he was, adopted a solid working title for his steam engine, *Locomotion No 1*. (He had already built the *My Lord* — it almost begged an exclamation mark.) In September 1825, preceded by a man on horseback bearing a superfluous warning flag, the chubby *Locomotion No 1* successfully heaved coal wagons, empty of coal, but crammed with some 600 passengers, along the line.

スティーヴンソンは飾らない人柄だったので、自分の蒸気機関車に〈機関車第1号〉という、実直な名をつけた。(彼はすでに〈マイ・ロード(我が主)号〉を制作していた——つい感嘆符「!」をつけたくなる名前だ)1825年の9月、いらずもがなの旗をふりながら警告する騎馬の人物に先導されながら、ずんぐりむっくりの〈機関車第1号〉はぶじ空の石炭貨車に約600人の乗客をすしづめにして走った。

(c)

Away, with a shriek, and a roar, and a rattle, from the town, burrowing among the dwellings of men and making the streets hum, flashing out into the meadows for a moment, mining in through the damp earth, booming on in darkness and heavy air, bursting out again into the sunny day so bright and wide; away, with a shriek, and a roar, and a rattle, through the fields, through the woods, through the corn, through the hay, through the chalk, through the mould, through the clay, through the rock, among objects close at hand and almost in the grasp, ever flying from the traveller, and a deceitful distance ever moving slowly within him: like

> as in the track of the remorseless monster, Death!

> 突進。悲鳴をあげ、咆えたけり、ガタガタ揺れながら、町から出発、人間の住み家の中をもぐり抜け、街路を唸らせ、一瞬野原に飛び出すと思いきや、湿った地中に突入、暗黒と重苦しい空気の中をガラガラ進むと、またもや明るく広い昼間の光の中へ。突進。悲鳴をあげ、咆えたけり、ガタガタ揺れながら、牧場を過ぎ、森を抜け、畠を通り、干し草の野を分け、白堊の崖を抜け、耕地をよぎり、粘土の壁をかすめ、岩を突き抜け、手でつかめそうに見えて、いつも旅人からさっと逃げる近景、旅人の目の中をゆっくり動くかに見せて欺く遠景の中を行く。あたかも無慈悲な怪物、死の後を追うかの如くに。

ぽっちゃり機関車

では、それぞれの文章に注目して、その特色を考えてみましょう。

(A)は後まわしにして、まずは(B)からです。これは *Fifty Railways that Changed the Course of History* という、一般むけ教養書の一節で[1]、ロバート・スティーヴンソンの発明した蒸気機関車に牽引された汽車が、はじめてストックトン=ダーリントン間を走ったときのことが述べられています (Laws p.20)。知的レベルからいうと日本の新書くらいでしょうか。

文章を詳しく見ましょう。形容詞のsolidは「実直で飾り気がない」という意味なので、機関車が擬人化されていることが分かります。「第1号」と名付けられたこの新作は、スティーヴンソンが過去に作った機関車の名前「我が主号」（*My Lord*）と対照的ですが、対比の面白さに加えて、*My Lord*というのがびっくりしたときに発するMy Lord!と同じ字面なので、「感嘆符」をつけたくなるなどとおどけています。

また馬に乗った人間が機関車を先導したことが述べられていますが、それをsuperfluous（余計）なものであると評し、「第1号」を chubby（ぽっちゃり）と形容し、empty of coal, but crammed with... と、石炭の貨車に石炭を積まず、人が山なりだと述べるなど軽みがあり、全体としてとてもユーモラスな文章です。

(B)は、このように一般読者の興味を引くような文体で書かれています。分かりやすく親しみがもてるよう、擬人化し、比喩やユーモアたっぷりの表現をちりばめています。

レールを走る文章

(C)はイギリスの文豪ディケンズの*Dombey and Son*という小説の有名な一節です（Dickens1974, p.275-276）。跡継ぎ息子をなくした傷心の実業家ドンビー氏が、気を晴らそうと汽車旅行に出ます。その汽車の描写です。なんとも息の長い文章です。延々と続くこのパッセージにピリオドは一つしかありません。

内容については前掲の小池滋氏のすばらしい訳（小池 p.71）をご覧いただくこととして、今は文章の形にご注目ください。短いフレーズごとにコンマが挿入され、同じ単語、同じ前置詞に導かれた語句がしつこく繰り返されています。これはいったい何でしょう？

描かれている内容は窓外を次々と過ぎていく風景ですが、それと同時に短いフレーズを並べた文章のリズムが、ゴットンゴットンと汽車が走る音、そのリズムを模しています。つまり、書かれている内容に加えて、文体そのものが汽車の走るイメージを伝えようとしているのです。

実用文

では(B)(C)と比べて(A)はどうでしょう？

(A)の文章は、一見して分かる通り、飾り気がなく、淡々と事実を記述し情報を伝えるだけの文章です。この文章はどう訳すのがよいでしょう？ 今から4つの訳例を並べます。どれがよいかお考えください。

> (a)
> 蒸気機関車が最初に開発されたのは、19世紀初頭、イギリスでのことで、その後20世紀半ばまで鉄道輸送に用いられた。1900年代初頭以降は、電気機関車やディーゼル機関車によって主力の座を奪われていったが、各路線で電気やディーゼルの動力へと全面的な転換が行

われていったのは、1930年代以降のことだ。

(b)

蒸気機関車は19世紀初頭にイギリスで発明され輸送に利用されたが、1900年ごろに登場した電気・ディーゼル機関車に次第に入れかわって行き、1930年代以降はその流れが加速した。

(c)

鉄道の歴史は以下の通り：

1800年代初頭…イギリスで蒸気機関車が誕生

1900年代初頭…電気機関車やディーゼル機関車が登場

1930年代以降…本格的に電気・ディーゼル機関車の時代が始まる

(d)

```
1800          1900   1910   1920   1930   1940   1950
|---- - - - ----|--------|--------|-------|-------|-------|---
```

蒸気機関車

電気・ディーゼル機関車

(a)は一字一句をおろそかにせず、几帳面に訳しています。原文のいちいちの表現を大事にひろっています。とてもいい感じです。たぶん原文以上に格調ある文章になっています。これとは対照的に(b)はそっけなく情報だけを伝えようとしています。(c)は直感的に捉えやすくするために情報を箇条書きにしています。(d)は図式化したもので、博物館などの説明パネルなどでよく見かけるタイプです。

実用テクスト

さて、ここで質問です。(A)の訳として、どれが最も適切ですか？

皆さんが深刻に悩まれては申し訳ないのでさっさと種明かしをしますが、答えはありません。実はこの問いそのものに問題があります。ナンセンスな欠陥問題です。今からそのわけをお話しします。

この文章はウィキペディアからお借りしました。'steam locomotive'という項目の冒頭部分です。[(2)] ふつうウィキペディアを利用するのは、何らかの情報を知るためです。そして知ってしまえば用済みです。必要なら、箇条書きのメモをとるでしょう。また、しばらくたってから思い出すときには、ウィキペディアの文章そのものではなく、得た情報を自分なりの言い方で表現しているはずです。つまり、どう書いてあったかにはまったく意味がないのです。[(3)]

このようなかたちの文章との付き合い方は、いうまでもなくウィキペディアには限りません。新しく買ったスマホのマニュアルもそうです。掃除機の説明書もそうです。役所からとどく年金振り込みの督促も、法律の条文も……みんな、みんなそうです。

私たちの日常を取り巻いている文章は、ほとんどすべてがこれと同じです。このような種類の文章を「実用的な文章」あるいは「実用テクスト」と呼ぶことにします。

実用テクストは、現実を生きる中で必要となる情報を私たちに伝えることが唯一の目的です。そしてこの目的が最終的に達せられさえするなら、どのような形で与えられようとかまいません。したがって、(A)の文章の訳は(a)から(d)のどれでもよいということになります。現実的で重要な用途がある場合には、それに応じて求められる形式が決まってくることは言うまでもありませんが、重要なポイントは、どんな形に訳すべきかを、テクスト自体は要求しないということです。

文学テクスト

ところが、世界にはこのような実用テクストとは異なる種類のテクストが存在します。先にご覧いただいた(B)と(C)がそれです。文章の読み方という点で、(A)と(B)(C)の間には、決定的な断絶があります。

(A)にとってはエンコードされている情報がすべてであるのに対して、(B)(C)は、盛られた情報よりも、それをどのように表現するかに工夫が凝らされていて、そちらのほうが重要です。すなわち、程度や質の差はあるにせよ、文体そのものに意味があり、形そのものがテクストの意味や価値と不可分です。「非実用テクスト」と呼んでもよいところですが、これではあまり美しくないので、「文学的な文章」あるいは「文学テクスト」と呼ぶことにします。

私の「文学テクスト」は、このように「非実用テクスト」というのとまったく同義ですが、これだけではいかにもたよりないので、箔を付けるためにも、もう少し積極的に定義づけておきましょう。

詩的言語

ロマーン・ヤーコブソンは20世紀の言語学を導いた偉大な人物ですが、「言語学と詩学」という論文の中で、言語が果たす機能を6つに分類し、その最後に「詩的機能」について説明しています。すなわち、「メッセージそのものへの志向、メッセージそのものへの焦点合わせは、言語の詩的機能poetic functionである」(ヤーコブソンp.192)といいます。

分かりやすくいうなら、言語表現が表そうとしている意味ではなく、表現そのもの、表現の様態、形姿、ありさまに注目させるのが、言語の「詩的機能」であるということです。いわゆる詩に限らず、言語芸術一般にこの要素は不可欠ですが、他の種類の言語活動においても多かれ少なかれこの機能が作用しています。

その例としてヤーコブソンの挙げているのが、'I like Ike' というアメリカの政治スローガンです。これはアイゼンハワー（愛称はIke）を大統領候補にするため、1951年に共和党員によって作られました。「アイ」という語が繰り返される韻律の効果について、ヤーコブソンは「愛する主体が愛される客体によって包み込まれていることの類音法的映像になっている。この選挙用キャッチフレーズの副次的な詩的機能が、その重みと効きめを補強している」（ヤーコブソンp.193）と説明しています。

ヤーコブソンの「詩的機能」は、私の「文学テクスト」の特徴とほぼ重なり合っています。繰り返しになりますが、（私の）「文学テクスト」とは、表現の形、文の姿、すなわち広い意味での「文体」が重要な意味をもっているテクストです。散文や詩をはじめとする文学作品ばかりか、広告宣伝のキャッチコピー、ジョークなどをも含むとても広い概念だとお考えください。

試金石は自動翻訳

上記で「実用テクスト」と「文学テクスト」が、表現そのものに意味があるかどうかという基準で分けられると述べましたが、それ以外に、この２つを区別する客観的、あるいは実証的な手がかりはないのでしょうか？

それがあるのです。コンピュータの自動翻訳システムです。

ここ数年のあいだにコンピュータによる自動翻訳の精

度が格段に進歩したと言われています。コンピュータが「実用テクスト」と「文学テクスト」をどのように翻訳するのかを実験してみましょう。

まずは、インターネットで公開されているGoogle翻訳に、(A)の最初の英文を食わせてみました。

> Steam locomotives were first developed in Great Britain during the early 19th century and used for railway transport until the middle of the 20th century.

の全文を食べさせると「蒸気機関車はイギリスで最初に開発されました/19世紀初頭、鉄道輸送に使用された/20世紀。」という、イマイチの結果となりましたが、andの前で区切って半分ずつ与えると、「蒸気機関車はイギリスで最初に開発されました/19世紀初頭。20世紀半ばまで鉄道輸送に使用されていました。」とほぼ完璧な結果が得られました。十分に意味が分かります。合格です。

次に、(B)の第1文について試みます。

> Stephenson, practical man that he was, adopted a solid working title for his steam engine, *Locomotion No 1.*

には、「スティーブンソン、彼は実在の男でしたが、堅実な仕事を採用しました蒸気機関車Locomotion No 1の

タイトル」という結果です。さらに、

> He had already built the My lord — it almost begged an exclamation mark.

には、「彼はすでに構築していた/私の領主—それはほとんど感嘆符を懇願しました」というさんざんな結果でした。これでは落第点しか出せません。

以上の「実験」から言えることは、情報伝達が使命である実用テクストは、現時点でさえ、自動翻訳によってほぼ必要十分な翻訳ができてしまうのに対して、文学テクストは、それが不可能であるということです。

本来の翻訳論の領分

考えてみればそれは当然のことです。文学テクストは「その形姿、スタイル」にこそ意味があるテクストだと定義しましたが、そのような意味は言語を辞書通りの意味や、日常的な形で使わないことによって生み出されているからです。通常の用法から外れているところに「文学的」意味が生じ、その面白さが人をひきつけます。そしてたいてい、それが意表をつく、とっぴなものであればあるほど価値が高くなります。[(4)] 統計的確率を基本原理とし、例の数の多さが適切性の判断の拠り所となる機械翻訳とは、全く逆向きのベクトルをもったものです。

これに対して、情報を正確に伝えることが目的の実用テクストについては、近い将来、AIの発達とともに、すべてコンピュータで翻訳の行われる時代がくるでしょう。そして、このような「実用テクストの翻訳」とは、言い換えれば、文書をも含めた意味での「通訳」の領分にほかなりません。つまり口頭・文書をとわず「通訳研究」はAI研究のなかに吸収されてしまうだろう、ということです。

19世紀のはじめに、ドイツの解釈学者シュライアマハーは「翻訳のさまざまな方法について[5]」という文章の中で、口頭・文書にかかわらず商業・法律などに関わるのは「通訳者」の仕事であり、これに対して「本来の翻訳者の管轄は主に学術と芸術なのだ」とすでに認識していました。いまや、この認識がコンピュータの発達という現実によって証明されようとしています。

よってこれからの翻訳研究は、実用テクストについては不要となり、「文学テクスト」の翻訳が中心となると予想できます。そして、より根本的には（上に定義した意味での）「文学的」な言語の使い方とは何かを探求していく方向へと向かっていくだろうと私は予測しています。

いかにも文学！

ここまでこってりしたご馳走を食べていただいた後で、最後にデザートとして、「いかにも文学」という例を、私自身の最近の翻訳からご紹介しましょう。

ディケンズの傑作『オリヴァー・トゥイスト』の大詰

め、「フェイギンの最後の夜」と題された第52章で、裁判の場面が描かれます。被告はフェイギンという悪者で、死刑判決が確実な状況です。本人にもそのことが分かっています。法廷の中の様子が、フェイギン本人の視点から描かれ、次のように書かれています。

> — all looks were fixed upon one man — the Jew. Before him and behind: above, below, on the right and on the left: he seemed to stand surrounded by a firmament, all bright with gleaming eyes. (Dickens1966, p358)

> 誰もが一人の男、フェイギンにじっと目をそそいでいる。前にも後ろにも、上にも下にも右にも左にも人、人、人。フェイギンは、ギラギラと光る目で煌々と輝く'firmament'に囲まれているように感じた。

このfirmamentは「空」という意味です。私は「蒼穹」と訳し「そら」とルビをふりました。なぜでしょう？

firmamentは雅語で、現在ではまれにしか使われません。しかし、とても有名な用例があります。シェイクスピアと同時代の劇作家クリストファ・マーロウが書いた『ファウストゥス博士』という劇です。地上の命が尽きる寸前になって、悪魔との契約を後悔した主人公が、次のようなセリフを吐きます。

> See, see, where Christ's blood streams in the firmament!
> One drop would save my soul, half a drop: ah, my Christ! — (Marlowe p.336)

> 見よ、見よ、キリストの血が蒼穹に流れている。
> 一滴でも私の魂が救われる、半滴でも…、ああ、キリストよ（拙訳）

ディケンズはこの場面を思い出しながら、最期の迫ったフェイギンの運命を濃厚に演出しています。フェイギンがユダヤ人であることを考えれば、もっと深い意味合いを汲み取ることができるかもしれません。

日本語・日本文化という環境では、「蒼穹」と訳したところで、ファウストゥス博士の運命が思い出されることはないでしょう。しかし、「そら」というルビで意味を通じさせながら、むずかしい漢字を当てておくことで、読者が何ほどかのひっかかりを感じてくれればよい、と考えました。

「文学テクスト」の翻訳にはこのような複雑な思考過程が詰め込まれている場合もあるのです。

第5章

岩野泡鳴と直訳擁護論

―読めない翻訳をなぜ作ろうとするのか―

例えば、小説『偉大なるギャッツビー』の扉を開いたとします。

するといきなり、「今より若くて傷つきやすかった時代に、私の父は私に、それ以来ずっと私が頭の中でぐるぐる回しているところの、いくらかの助言をあたえた」という文章が、あなたに向かって襲いかかってくるとします。ぎょっとして、目を回すこと必定です。

これに対して「むかし、若くて多感だった私に、父がアドバイスをくれた。それ以来、それはずっと私の心の中にある」だったら、もっと先を読んでみようという気になるのではないでしょうか?

ところが意外や意外、前者のほうが正しい翻訳だと考える人たちがいます。

『文学における象徴主義運動』

岩野泡鳴は明治から大正にかけて活躍した小説家ですが、翻訳論の研究者にとっては、アーサー・シモンズ(1865-1945)の *The Symbolist Movement in Literature* の翻訳をしたことでよく知られています。どのような翻訳なのか、さっそく『表象派の文学運動』の序文を見ましょう。親友であった詩人のW.B.イエイツにあてた献呈の辞の冒頭です。

> May I dedicate to you this book on the Symbolist movement in literature, both as an expression of a

> deep personal friendship and because you, more than any one else, will sympathise with what I say in it, being yourself the chief representative of that movement in our country? France is the country of movements, and it is naturally in France that I have studied the development of a principle which is spreading throughout other countries, perhaps not less effectually, if with less definite outlines. (Symons p.xix)

行間の論理関係をていねいに掘り起こせば、ほぼ次のような内容です。

> 文学における象徴主義運動についてのこの本をあなたに献呈させてください。1つは個人的理由に発しております。というのも、そうすることによってあなたへの深い友情をお示ししたいのであります。もう1つの理由というのは、あなたがわが国における象徴主義運動の代表者であるということ、またそうであるがゆえに、私がこの本で今から述べることに共感してくださると確信するからです。フランスは様々の主義・運動の発祥地となる国です。象徴主義運動もフランスに生じたからには、私がそれをフランスで勉強したというのは当然といえば当然のことではありますが、いまやそれは世界各国に広がりつつあり、フランスにおけるほどくっきりとした輪郭をそなえてはいませんが、そ

> の勢いたるやフランスに勝るとも劣らぬものとなっております。

ついでにちょっと悪乗りして、古風に訳してみます。

> 文芸における象徴主義を論じたる本書を御身（おんみ）に献じたてまつる。而（しか）して永年のご厚情に謝す。惟（おもんみ）るに、御（お）身（み）をおきて本書を献ずるに足る者はあらじ。御身（おんみ）こそ我が邦の象徴主義運動の魁（さきがけ）なればなり。凡（およ）そ佛国は主義主張の運動の澎湃（ほうはい）として生ずる地にして、象徴主義も亦（また）しかり。不肖浅学（ふしょうせんがく）なりといえども、笈（きゅう）を負いて佛国に赴（おもむ）きしもけだし当然のことならん……。

うん、悪くない。（などと自画自賛したりして）

では、この英文を、問題の岩野泡鳴はどう訳したのでしょうか？

岩野泡鳴の翻訳論

> ダブルユ。ビ。エツに
> （To W.B.YEATS）
>
> 君にこの書表象派の文学運動を献じてもいいでしよう、一は深い個人的友情の発表として、一はまた君が、他の何人よりも、僕のこれで云ふところに同情すると思はれるからです、而も君自身がわが国に於けるかの運

動の重要な代表者であるから。仏蘭西は諸運動の国であつて、自然と仏蘭西に於て一主義の発展を研究したが、この主義が他の諸国に弘まつて行くのは、たとへはツ(原文ママ)きりした輪廓が少いとしても、恐らく少からず有効にだ。(岩野p.1)

オー!「ダブルユ。ビ。エツ」か! と、しょっぱなからガツンとショックを受けます。まるで「『ダブルユ。ビ。エツ』とは俺のことかとイエイツ言い」ですね。が、これはまあ単に英語の読み方の問題なので、気にしないことにしましょう。

本文を読んで意味が分かりますか?「個人的友情の発表」って何?「云ふところに同情する」は言葉としておかしくない?「諸運動の国」って、スポーツが盛んってこと?「自然と」って何のこと? 等々疑問はつきません。極めつけは「この主義が」以下で、よくもここまでスカタンが書けたものだと思う人も……、そう、中にはいるでしょう。

英語の原文をもう一度見ましょう。「発表」はexpression、「同情する」はsympathise、「自然と」はnaturallyの訳です。なるほど、と納得。たしかに、辞書にはそう書いてあります。だけど、あなたがもし英語の先生なら、いつも口をすっぱくして生徒にいうセリフが、思わず出てくるのではないでしょうか。「ちょっと君ねえ、辞書をひくのはいいけど、最初に出てきた言葉をそのままとって貼り付けてもダメなんだよ」と。

だけど岩野はけっして英語の劣等生ではありません。

それどころか作家になる前には英語の教師の経験すらありました。前掲のような奇妙な訳は、日本語としておかしいことを承知の上で行っているのです。いったいどういうつもりなのか、岩野自身に語ってもらいましょう。

> 断つて置くが、僕は緩慢な意訳をも、昔の変な直訳が行けないと同様、行けないとする者だ。今日翻訳家として立つてゐる人々には……直訳さへしなければ、意訳でも何でもいゝと思つて、原文の口調や語勢までは注意しない。が、これは誤訳でないまでも、不親切な訳といはなければならない。(岩野「序」p.23-24)

と述べた後で、例えば、for、because、so...that...、who、which、when、whileなど、接続のための副詞や接続詞が出てくると、原文の順序通りに訳そうとしたといいます。なぜなら「これが原文の口調や語勢を、更らに又原文の癖を、忠実に維持する所以であるから」(岩野「序」p.24)と述べています。

さらに、日本語の表現についても、「清新な思想には清新な語法が必要」なので、「日本文としてもあらゆる常套を脱してゐるつもり」で、「病室が渠を要求した」とか「森の樹木を目次づける」(岩野「例言」p.1－2)というような表現は日本文として新語法であると擁護しています。

不勉強の者、読むべからず

この岩野の主張は次の2点につきます。すなわち(a)英語の文章の（従属節などの）順序を維持する、(b)イディオム的な英語表現は「逐語訳」すべき、ということです。

ここで、岩野の翻訳は意味が分からないので、それこそ無意味だ、などと言っても仕方がありません。そんなこと、はなから承知です。

『表象派の文学運動』には「例言」なる注意書きがあります。「本書は、性質としても、また文体から云つても、寝ころんで読める物ではない。……訳文の六ケ(原文ママ)しいのは、原文の語法と発想とを出来るだけそのまま再現してあるからである」（岩野「例言」p.1）とのこと。どうやら明窓浄机に端座し、緊張して読書百遍しなければならない本のようです。

さらに叱責の声が続きます。「自己の不勉強を忘れてよく物の不了解を訴へる読者にはこれを糸口として、思ひ返して貰ひたい。それでなければ、本書を直ぐ理解するだけの相当な素質が出来るまで読まないでゐる方がよからう」（岩野「例言」p.1）。気弱な私など、ここまで言われると「ははー、さようで御座りまするか」といって逃げ出したくなります。

この翻訳で興味深いのは、翻訳の意義を、意味を通すことではなく、それが何であれ、「英語の口調や語勢」を保つこと、英語らしい表現、すなわち英語特有の単語の組み合わせと順序をそのまま残すことに見出そうとしていることです。その裏には、もとの英語の形には、単なる「意味」以上の、何かすばらしいものが含まれていて、それを読者がきちんと味わうことが重要だという考え方が存在します。日本文化は遅れていると感じ、西洋文明がまぶしく輝いていた時代ならではの感覚です。

起点言語志向

私が特に注目するのは、単語と意味の関係について岩野が特異な感覚をもっているらしい、ということです。

英語のイディオム的な表現について、対応する語を辞書で拾って単純に置き換えて、例えば「病室が薬を要求した」という日本語にするのがよいというのと、英語のnaturallyを「自然と」、sympathiseを「同情する」と訳そうとするのは、根は同じです。その心理を説明するなら、英語のnaturallyには「当然ながら」という意味があるのだから、日本語で「自然と」という表現をそのまま「当然ながら」という意味の言葉として使えるだろう、いやそうでなければならない、というような単純素朴な信念があるのではないでしょうか。

つまり英語の"naturally"という字面が持っているすべての意味作用を、その代表的な日本語訳の「自然と」の字面が持っているはずだ、あるいは持たせたい、というような奇妙な言語観がここにはあります。辞書に対する素朴な信頼、語に語が（用法まで含めて）対応し、それによって、異なる言語でも同じ意味が生み出されるという素朴な言語観とでもいいましょうか。現在の時点からながめると、なんともほほえましい限りですが、このような言語観が、岩野の翻訳をほとんど解読不可能にしている理由です。

それはともかく、もとの作品が書かれている言語を重視する考え方を、翻訳の議論では「起点言語志向」(source-oriented) といいます。それに対して、翻訳される言語に重点をおいた考え方は「目標言語志向」(target-oriented) です。岩野泡鳴の翻訳観は、起点言語重視の最右翼といえるでしょう。

ハムレットの悩み

シェイクスピアの『ハムレット』というと、世界中でもっともよく知られている演劇作品ではないでしょうか。残念なことに、最近では、大学の教室で「この作品を読むか、見るかしたことのある人は手をあげてください」と言っても、ほとんど反応がありません。

しかし、この劇の極めつけのセリフは、たいていの人が知っています。「生きるべきか死ぬべきか、それが問題だ」。もとの英語が‘To be or not to be, — that is the question.’であると言える人も、読者の皆さんの中にはけっこういるのではないでしょうか。『ハムレット』第３幕１場のセリフです。

あれっ、英語では to be なのに、「生きるべきか」と訳しているのはどうして？ と思う人がいるかもしれません。

beは「存在する」という意味なので「生きる」と訳されているのだというのが一応の説明です。訳のバリエーションがいっぱいあります。

> 世に在る、世に在らぬ、それが疑問じゃ。(坪内逍遥)
>
> 生か死か、それが疑問だ。(福田恆存)
>
> 行き続ける、行き続けない、
> そこがむずかしいところだ。(木下順二)
>
> このままでいいのか、いけないのか、
> それが問題だ。(小田島雄志)
>
> 生きるべきか、死ぬべきか、それが問題だ。
> (河合祥一郎)

ハムレットのこのセリフは、デンマークの王であった父が叔父によって殺されたのではないかという疑いをいだき、復讐に向かって行動すべきではないのかと自問する場面のものです。したがって、beは「存在」に意味のポイントがなく、to be or not to beという対照的な表現で、自分の置かれた中途半端な状況を表現しようとした、とも解釈できます。この文脈をくんだのが木下順二と小田島雄志の訳です。「生きる」、「死ぬ」と訳すのは意味を限定しすぎだという考えです。たしかに、ハムレットはto live or not to liveとも言えたはず（それでも韻律は保たれる）なのに、そうは言ってません。

その点、ヨーロッパ言語はのんきなものです。フランス語は ‘Être, ou ne pas être, telle est la question’、ドイツ語なら ‘Sein oder Nichtsein, das ist hier die Frage’、どちらもbeに相当する語（être、sein）をぺたりと貼り付けて、澄まし顔です。

日本語ではそうはいきません。そこで、あろうことか、「あるか、あらぬか、それが問題だ」と訳すべきだという主張が登場しました。beは「...である」に相当する語なので、なるほど、理屈としては分かります。そんな訳を提案したのは野上豊一郎という人物です。

野上豊一郎の翻訳論

野上豊一郎は1883年生まれの英文学者です。漱石門下の一人で、法政大学に奉職しましたが、学内政治のごたごたに巻き込まれて辞職しました。紆余曲折をへて戦後は学長にまでなりました。イギリスの現代演劇の専門家ですが、能に詳しく、英米圏に能を紹介したことでも有名です。『翻譯論 翻譯の理論と實際』の一書を1938年に岩波書店から上梓しました。たしか、東京大学の図書館に所蔵されている本には「乞う、ご高評」というような毛筆の書き込みがあったように記憶しています。

さて、この中で、野上は問題のセリフについて、次のように述べています。

> 此のままの状態で生きてゐるべきかといふ意味にto beを使つたとしても、ハムレットは此のままで生きて行くかとは云はないで、ただ単にto be（ある）と云つたきりである。さうしてその次にそれを否定してnot to be（あらぬ）と云つた。それだけである。……あるか、あらぬか……それが問題だ。といふのである。若し私がそう訳したとしたならば、それはあまりに簡単で意味があいまいだと非難する人があるかも知れない。さうすれば私は答へていふ。簡単であいまいなのは原文がさうなのである。……翻訳者はみだりに注釈的に説明的に翻訳してはならぬ。もし、to beといふ簡単な句が二通りの概念を暗示するならば、翻訳者は同様に二通りの概念を暗示させ得べき簡単な等量的の日本語を発見すべきである。あるという語がそれであるかどうかを私は保証しないけれども……（野上p.45-46）

この野上の「あるか、あらぬか」には激烈な非難の声があがりました。「『あるかあらぬか』というのはたわけきった言葉です」（大山・吉川p.57）と京都大学のドイツ文学者だった大山定一はいきり立ちます。しかし、「あるかあらぬか」という表現そのものが問題なのではありません。翻訳は原作の形を尊重すべきであるというのが、野上の主張です。

この引用から明らかなように、野上の関心はハムレットの有名なセリフに適切な訳語を選ぶことにはなく、どんな訳語がふさわしいか、どのような条件を満たす語を選ぶべきかを論じています。そしてこの議論をもとに、「西洋のものを西洋のものらしく訳するか、日本的なものに作り直すか」（野上p.70）という対立軸をたてて、前者が望ましいという結論にたっします。

野上の翻訳

では、このような考えを主張した人物が、実際にどんな翻訳をしたのか見ましょう。

19世紀イギリスの女流作家ギャスケル夫人の『クランフォード』第１章に次のようなくだりがあります。

> I imagine that a few of the gentlefolks of Cranford were poor, and had some difficulty in making both ends meet; but they were like the Spartans, and concealed their smart under a smiling face. (Gaskell p.41)

野上の訳は以下の通りです。

> クランファドの身分ある人たちの中にも、貧乏で二つの端[収入と支出と]を揃へるのに多少骨の折れてゐた人があつたと思ひます。併し彼等はスパルタ人のやうであつたから、その苦しさをば笑つた顔の下に隠した。

（ギャスケル p.5）

これだけで十分でしょう。make both ends meet というイディオムは、４語全部で「収支の帳尻を合わせる」という意味です、野上の訳ではそれぞれの単語に訳語を当てています。また、「その苦しさをば笑つた顔の下に隠した」は構造、単語ともに英語に近づけようとしているため、日本語としてぎこちない印象です。野上のいう「西洋のものを西洋のものらしく」とは、このような訳を意味します。

野上の『翻譯論』は、20世紀前半までの日本の翻訳研究においては、理論的であろうとしている点で異色の研究書といえます。概して好評だったようですが、これが呼び水となって我が国における本格的な翻訳理論の奔流を創り出すことはなく、夏の一夕の花火に終わりました。

辞書は神さまが作ったのか？

岩野と野上の「翻訳理論」を眺めてみましたが、現代の我々としてはどう考えればよいのでしょうか？

「語勢」といい「西洋らしさ」といいますが、そもそもこうした表現自体が具体的に何を意味するのかはっきりしません。しかし彼らの翻訳実践例から判断するかぎり、これらの表現が、実際上は、欧文独特の句や節の形や順序を翻訳の文章に反映させるという方法のことを指しているのだということが分かります。

このような方法によって、何らかの「意味」が追加されるのでしょうか？ 誰が見ても答えはノーです。「意味」の追加はゼロというより、読んで分かりにくくなっている分、むしろマイナスです。

では、意味を犠牲にしてまで、なぜこのようなことをしたのでしょうか？

先に「欧文の句や節の形や順序を翻訳の文章に反映させる」と述べましたが、その背後には、意識せざる前提として、英語と日本語で単語は１対１で対応し、いわゆる「英文法」が世界を分節する絶対無二の法則であるというような考え方が確固として存在しています。これが岩野や野上にとっての「公理」だったのです。

でも、この公理は正しいでしょうか？

私は答えます。辞書も文法も神さまがお創りになったものではありません、と。

辞書も文法書も人が作ったもので、言語、そして世界を読み解くための手がかり、あるいは道具のようなものです。しかも、それは永遠に不完全なものにとどまるという宿命を背負った道具です。

その理由は、言語現象は日々流動しているからというばかりではありません。そもそも、すべてを網羅し、説明し尽くすことは不可能だからです。辞書にせよ文法書にせよ、乱雑で猥雑で無秩序で無際限な世界にかぶせた、あらい網の目のようなものにすぎないからです。

辞書も文法書も、いうまでもなく言語を学ぼうとする者にとっては、どちらもなくてはならないものです。しかし、翻訳者や翻訳論の研究者が、辞書や文法書は最終的なよりどころだと錯覚してしまうと、結果は……。

神の言葉に近づくには

ところが、です。辞書や文法は神があたえたもうたものだから絶対的なステータスを持っているという思想が広い世界には存在します。それによって生まれたのが「行

『旧約聖書』の「創世記(Genesis)」ヘブライ語と英語の行間逐語訳

1 בְּרֵאשִׁית בָּרָא אֱלֹהִים אֵת הַשָּׁמַיִם וְאֵת הָאָרֶץ :
b·rashith bra aleim ath e·shmim u·ath e·artz :
in·beginning he-created Elohim » the·heavens and·» the·earth

2 וְהָאָרֶץ הָיְתָה תֹהוּ וָבֹהוּ וְחֹשֶׁךְ עַל ־ פְּנֵי תְהוֹם
u·e·artz eithe theu u·beu u·chshk ol - phni theum
and·the·earth she-became chaos and·vacancy and·darkness over surfaces-of abyss

וְרוּחַ אֱלֹהִים מְרַחֶפֶת עַל ־ פְּנֵי הַמָּיִם :
u·ruch aleim mrchphth ol - phni e·mim :
and·spirit-of Elohim [m]vibrating over surfaces-of the·waters

3 וַיֹּאמֶר אֱלֹהִים יְהִי אוֹר וַיְהִי ־ אוֹר :
u·iamr aleim iei aur u·iei - aur :
and·he-is-saying Elohim he-shall-become light and·he-is-becoming light

4 וַיַּרְא אֱלֹהִים אֶת ־ הָאוֹר כִּי ־ טוֹב וַיַּבְדֵּל אֱלֹהִים בֵּין
u·ira aleim ath - e·aur ki - tub u·ibdl aleim bin
and·he-is-seeing Elohim » the·light that good and·he-is-separating Elohim between

הָאוֹר וּבֵין הַחֹשֶׁךְ :
e·aur u·bin e·chshk :
the·light and·between the·darkness

5 וַיִּקְרָא אֱלֹהִים לָאוֹר יוֹם וְלַחֹשֶׁךְ קָרָא לָיְלָה
u·iqra aleim l·aur ium u·l·chshk qra lile
and·he-is-calling Elohim to·the·light day and·to·the·darkness he-calls night

וַיְהִי ־ עֶרֶב וַיְהִי ־ בֹקֶר יוֹם אֶחָד : פ
u·iei - orb u·iei - bqr ium achd : p
and·he-is-becoming evening and·he-is-becoming morning day one

1. In the beginning God created the heaven and the earth.
2. And the earth was without form, and void; and darkness [was] upon the face of the deep.
   And the Spirit of God moved upon the face of the waters.
3. And God said, Let there be light: and there was light.
4. And God saw the light, that [it was] good: and God devided the light from the darkness.
5. And God called the light Day, and the darkness he called Night.
   And the evening and the morning were the first day.

間逐語訳」とよばれるものです。どのようなものなのか、さっそくご覧いたきましょう。

『旧約聖書』の「創世記」の冒頭部分です。ヘブライ語の本文の間に、各単語ごとに対応する英語の単語を記しているものを「行間逐語訳」といいます。左の例では、ヘブライ語のつづり、その英語化したつづり、そして対応する英語の単語と並んでいます。単語を対応させるだけでは意味が分かりづらいので、下の余白に注釈のような体裁で、正しい語順の英語が記されています。

聖書翻訳の歴史は古く、『旧約聖書』は紀元前3から1世紀頃にアラム語、ヘブライ語などからギリシャ語に翻訳され、それが聖典のオリジナルであるかのように扱われてきました。『新約聖書』はもちろん紀元後で、もともと大部分がギリシャ語で書かれたものと考えられています。キリスト教の広がりとともに、聖書も世界中の言語に翻訳されてきましたが、行間逐語訳こそ究極の「直訳」といわずして何でしょうか？

このような「翻訳」が作られた背景としては、古代語のバージョンは神の言葉に近いがゆえに、尊ぶべきものだという感覚があるのではないでしょうか。俗な例えを用いるなら、何度もコピーを繰り返すとぼやけてくるように、翻訳をへればへるほど神の声から遠ざかり、「真実」が隠される。だから近代語ではなく、古代語の原典のほうがありがたみがある、という感覚です。

前ページの写真は Scripture4all Foundation という団体

がインターネット上でフリーで提供しているものの一部ですが[1]、ホームページの標語が 'overcome the language barrier and get in touch with the original'（「言葉の壁を乗り越えてオリジナルに触れよ」）です。これがすべてを物語っています。近年、原理主義のキリスト教の宗派が「行間逐語訳」を好んでインターネットに上げているところにも、同じような心理が明らかです[2]。

ベンヤミンの「バベルの塔」

聖書はこのように「逐語訳」を要求する不思議な力を持っています。それこそが信仰というものでしょう。しかし、そのような原初的情緒とはべつに、西欧の翻訳論では逐語訳の擁護が歴史の中で繰り返しなされています。その代表格できわめて影響の大きかったのが、ベンヤミンの「翻訳者の使命」という論文です。

ヴァルター・ベンヤミンは20世紀前半を代表するドイツの哲学者です。著述の幅は広く、美学、翻訳、ドイツ観念論、ロマン主義など多岐にわたりますが、独自の思想体系を著述するのではなく、比較的短いエッセイのような形で文明批評を発表して、今日でも広く深い影響をあたえています。

「翻訳者の使命」が発表されたのは1923年のことです。この中でベンヤミンは「意味の再現は翻訳の規範・規律たることを止めなければならない」（三ツ木p.202）と述べ、逐語訳こそが必要だと主張します。「語が、文でなく語こそが、翻訳者の仕事の原要素である」（三ツ木p.202）と断定し、さらに語に語という対応ばかりか、構文（シンタックス）まで対応させるべきであると述べます。

なぜ逐語訳がよいのか？ ベンヤミンは翻訳者の仕事によって、最終的に「純粋言語」がもたらされうるからだ、と言います。では「純粋言語」とは何かというと、世界中の様々な言語の意味を統合した、一つの巨大な言語というふうに読めます。そして「言語展開の運動を形成しながら純粋言語を遡って獲得すること」（三ツ木p.203）が翻訳のなしうることだと言うのです。

ここで面白いのは「遡って」という言葉です。[3] ベンヤミンの議論は難解ですが、このポロリと出てしまったかのような言葉から察するに、これは『旧約聖書』のバベルの塔の物語を逆立ちさせたイメージであることが分かります。

最初に人類共通の一つの言語が存在したが、傲慢な人間を罰するために神が互いの言語を通じないようにしたという、あのおなじみの話です。ベンヤミンはこれを時間的にひっくり返して、このときばらばらになった諸言語を統一して、神と人類が幸せな関係にあったころに存在した一つの言語を目指すのが翻訳家の仕事だということを暗に語っているのです。

大哲学者によって逐語訳が推奨され、その裏にまたもや聖書の影が見えてきました。ベンヤミンはユダヤの神秘思想との関連を指摘されているので、これは決して偶然のことではありません。ベンヤミンにとって聖書の行間逐語訳が「すべての翻訳の原像、もしくは理想」（三ツ木p.207）だったのです。

深い崇拝は逐語訳を要請する

ここで一つ思考実験をしましょう。ベンヤミンが岩野泡鳴の「翻訳論」を読んだとして、どんな反応を見せたでしょうか？

生きた時間が重なっているので、可能性としてはありえた場面です。二人が頷きながら、「翻訳はやっぱ逐語訳だよね」といって意気投合するところを想像するのはなかなか愉快です。

たしかに、二人の主張は奇妙に類似しています。

ベンヤミンは翻訳によって「純粋言語」がもたらされると言い、岩野は（そうと言わないながらも）日本語の英語化を目指しているように見えます。そして、ベンヤミンでは（そうと言わないながらも）神の言語への回帰がほのめかされ、岩野にとっては西欧文明が神です。

ここから一般法則が導き出されます。すなわち「深い崇拝は逐語訳を要請する」のです。

日本の「異化翻訳」

ところで、翻訳論の授業を行っていてヴェヌティ（お忘れのかたは、第2章をもう一度ごらんください）の紹介をすると、学生からこんな質問が出ることがあります。「昔の日本で行われていた直訳は、ヴェヌティの異化翻訳と同じですか？」と。

現代日本の翻訳でも、英語の構文が透けて見えるような文章にお目にかかることがたまにあります。雑文などを書いているとき、そのような翻訳について「まるでヴェヌティの異化翻訳のようだ」などとうっかり書いてしまうことがあるかもしれません。深い意味はありません。「俺は翻訳学の大家であるヴェヌティの名前くらい知っているぞ」というほどの軽い気持ちです。

しかし、翻訳の研究家としてきちんと物事を考えなければならないときには、例えば岩野泡鳴や野上豊一郎の翻訳について、ヴェヌティのいう「異化翻訳」であると述べることには、大いなる躊躇を禁じえません。

たしかに、岩野は「原文の口調や語勢を、更らに又原文の癖を、忠実に維持する」ために、接続詞節などに関して原文の順序を尊重すると述べています。野上も「西洋のものを西洋のものらしく」訳すのがよいと主張しています。主張ばかりか、二人の翻訳が英語の単語に日本語の単語を当てはめ、英語の構文を日本語でなぞろうとしていることも事実です。

そこだけを取り上げれば、翻訳と明らかに分かるよう、原語の特徴を残せというヴェヌティの「異化翻訳」と同じに見えます。

だけどよく考えてみれば、これは要するに、いわゆる「直訳」です。それを「異化翻訳」と呼ぶのは、「異化翻訳」のあらゆる含みや膨らみを削りとり、骨だけにしたものをもってきて、それを岩野・野上の翻訳方法や主張にラベルとして貼り付けることに他なりません。

どんな肉がついているのか

しかし、骨だけにしたヴェヌティをヴェヌティと呼んで意味はあるのでしょうか？

ここで何が削り落とされているか考えてみましょう。

ヴェヌティの「異化翻訳」は「同化翻訳」とのペア概念として出てきました。そして「同化翻訳」とは、英米文化という特殊な環境で支配的な翻訳方法や翻訳慣行を意味します。それは、アメリカやイギリスのような自国文化の優位を意識しているがゆえに、他国の文化に学ぶ必要を感じていないという文脈です。それゆえ、それとペアである「異化翻訳」という概念もこの前提の傘の下にあり、それへの抗議、アンチテーゼという意味合いに色濃く染まっています。

翻って、岩野や野上の置かれた文脈はどうでしょう？

岩野・野上には、そう意識したかどうかは別として、英語こそ文明人の言語、ホンモノの「正しい」言語だという感覚があります。なにしろ、かなり最近まで、日本の言論界では、「日本語は論理的ではない」という言説がまかり通っていました。また、日本語文法は明治以降に作られましたが、有名な時枝文法などの例外を除いて、西欧語をモデルとした主語や述語の概念を骨組みとするものが主流だったということからも、西欧語・西欧文化を優位とする意識が「時代精神」あるいは社会のエートスとして存在していたことが窺われます。

またそれと裏腹に、明治後期からごく最近まで、「意訳」をいやしむ風潮がありました。それは岩野の「僕は緩慢な意訳をも......行けないとする者だ」という口調にも明らかです。また、英語からの翻訳とは、大学で英学を修めたものが、正しい英文解釈をきちんとした訳で示し教えるものだ、というような意識が陰に陽に存在していました。(4)

やや誇張して云うなら、英語という言語、イギリスという文化・社会を尊敬崇拝し、限られた者のみが参入できる天上世界の御言葉を、そのもの言いの姿形も芳しいままに伝え教える神官のような役目を果たすのが翻訳者であり、それにふさわしい道具として推奨されたのが「直訳」です。

「直訳」は「逐語訳(リテラル)」か?

しかしもっと根本的な理由があります。ヴェヌティの「異化翻訳」は「逐語訳」と近縁の関係にありますが、欧米の「逐語訳」と日本の「直訳」は対応しないということです。

仮定法を例にとりましょう。英語で事実の逆を仮定する場合には「仮定法」を用いると中学校で教わります。英語の仮定法に相当する文法形式が、フランス語、ドイツ語をはじめほとんどのヨーロッパ言語に存在します。しかし現代の日本語には、仮定法は文法的な形式としては存在しません。「もし…だったら〜だろう」というのは特殊な文法形式ではなく、日常的にはほとんど使わない不自然な日本語表現を、「仮定法」の訳し方として対応させているにすぎません。つまり文法形式ではなく、実は意味的な対応なのです。

欧米の翻訳論の対象はほとんどが同族の言語で、「自由訳」(free) に対する「逐語訳」では、対応する文法形式や起源的に近い語彙が意識されます。つまり、欧米の翻訳論にとって、そもそも英語と日本語のように言語的に全く関係がなく対応関係に乏しいという状況は想定外です。

日本の翻訳論で用いられる「直訳」はほぼすべて「意味的な対応」なので、それが欧米で考えられている「逐語訳」と同じものとすることには無理があります。つまり、日本には厳密に西欧的な意味での「逐語訳」は存在しません。したがって「異化翻訳」からも大きな距離があると言わざるをえません。

目黒の秋刀魚

もうお分かりでしょう。ヴェヌティの「異化翻訳」と岩野・野上流の「直訳」は、生まれも育ちも正反対です。その目的とするところも天と地ほども離れています。表面の現象が同じだからという理由で、これほど異質な二つのものを同一視するのは、どうみても理性的な判断とはいえません。

以上の説明で明らかでしょうが、ヴェヌティの「異化翻訳」は厳密な理論的思考にたえられる、鋭利なメスではありません。なぜならば、文脈を取り去れば、「直訳」と完全に同義だからです。落語の「目黒の秋刀魚」と同じことで、それを供する場所をまちがえれば味気ない、ただのなまくら刀でしかありません。

そもそもヴェヌティの主張に「理論」としての洗練と普遍性を期待するのがまちがいです。それは英語文化の優越意識、帝国主義的傲慢を矯(ただ)さなければならないという一つの主張であると考え、その限りにおいて、英米の翻訳を記述する上で一定の洞察を与えてくれる一つの視点であるというのが、正しい評価です。

「秋刀魚は目黒にかぎる」と言ったのは落語の殿様。私はこう言っておきましょう。「ヴェヌティはアメリカにかぎる」と。

第6章

翻訳家の仕事場

―そこまでやるか『ホビット』！―

私は幸いにも親切な方々のお世話で、これまで数多くの本を翻訳させていただきました。文学作品も、いわゆる児童文学から大人の読者のためのものまで様々です。その他に実用書、歴史書、教養的なもの、画集等、多種多様なジャンルに及んでいます。

言葉を冒険する『ホビット』

どの本にも思い入れがありますが、どれか1冊と言われれば、即座に『ホビット』と答えます。

世界中でもっとも愛されている本の1冊であるから、ということはあります。しかしそれよりも、作者のトールキンは言語学者だからでしょうか、英語の表現に様々な仕掛けがなされていて、それがこの作品にとってとても目立つ特徴になっているからです。とびきり面白い物語なので、ただ平凡に訳しても読者は楽しめます。しかし、それは『ホビット』の魅力のごく一部をかすめただけであり、宝の山をむざむざ捨てることになります。

この宝の山を読者とともに味わいたい。翻訳にあたって私はそう思いました。すなわち、『ホビット』の英語テクストを力の及ぶかぎり日本語で再現してみたいと。すると今度は「再現する」とはいったい何を意味するのかということが問題となります。こうして私は翻訳という実践の場で「再現」の問題と格闘することとなり、その過程でそれがいったいどういうことなのか、考えが深まってきました。私の翻訳論は『ホビット』に育ててもらったといっても過言ではありません。[1]

何をどのように「再現」しようとしたのか、無限にある中からほんの数例をご覧いただこうと思いますが、その前に、『ホビット』になじみのない皆さんのために、物語をざっと紹介しておきます。

これは神話時代の物語です。題名になっている「ホビット」とはそのころ生きていたある種族の名前で、背丈は人間の半分くらい、足の裏がなめし革のようになっていて、まわりに毛がはえているという点（それと食事を1日に5回食べること）を除けば、人間と同じです。この物語にはホビットのほかに、魔法使い、ドワーフ（矮人）、エルフ（妖精）、ゴブリン、大鷲などの種族が登場します。昔、ドワーフたちは「はなれ山」の地下に宮殿を作って金銀宝石を山のように集めていましたが、ある時ドラゴンによって宮殿を奪われてしまいました。生き残ったドワーフたちが財宝を取り戻そうと、ホビットのビルボ・バギンズという人物とともに「はなれ山」に行きます。結局はドラゴンが死に、冒険は成功し、ビルボはぶじに故郷に帰って平穏な生活にもどります。

押入

まずは『ホビット』のキーワードの一つ、「バーグラー」（burglar「強盗」）を取り上げます。

ビルボは、突然やってきた見ず知らずのドワーフたちから、バーグラーとして「冒険」に加わることを求められます。しかしそれは、生まれてからこのかた、50年もホビットの平和な村でりっぱなお屋敷に住んでいて、どこから見ても「格式」の高いジェントルマンであり、自分でもそう思っているビルボにとっては、とっぴょうしもないことです。とはいえ、ビルボは「トゥック家」の出である母親の血のせいか、心の底で冒険にあこがれてもいます。(Tolkien p.26, トールキンp.23)

第1章では、「格式」と「冒険」との間で揺れるビルボの心理が軸となって、物語が進行していきます。ここには「格式＝バギンズ家（父方)」、「冒険＝トゥック家（母方)」という図式が鮮やかに提示されています。そして、ビルボが住んでいるお屋敷が「格式」の側を代表するイメージだとすれば、それと真正面から対立するのがバーグラーです。

皆さんは、イギリス文学には極めつけのバーグラーがいるのをご存知ですか？

ディケンズの『オリヴァー・トゥイスト』と本の題名がすらすらと出てくる人には、国際的教養人の資格があります。そう、この小説にビル・サイクスという凶悪な強盗が登場します。小さな孤児オリヴァーを田舎のお屋敷の窓のすきまから押し込んで、オリヴァーに強盗の手引きをさせるシーンが有名です。これがイギリス文学におけるバーグラーの代表イメージです。すなわち「お屋敷の錠をこわし、侵入する者」、それがバーグラーです。

このことからも分かるように、バーグラーは「お屋敷

＝格式」の対立概念です。「格式」の権化である（と本人が思っている）ビルボが、ドワーフたちによって、その対極にあるバーグラーという役柄にあたりまえのように当てはめられ、目を白黒しているというところにアイロニーがあり、ユーモアがあります。

『オリヴァー・トゥイスト』
強盗の手引きをさせられるオリヴァー

したがってこの語の訳は、ビルボにとってとびっきりショッキングなことばでなければなりません。しかもドラゴンの住処の「扉をむりやりに押しあけて入る」というビルボに割り当てられた役割は、バーグラーという語と不可分です。このようなビルボの嫌悪感、物語での役割などを複合的に再現するために、私は「押し入り強盗」の略語である「押入（おしいり）」を訳語に選びました。

文体の落差

第２章で「トロル」という怪物が登場して、‘Mutton yesterday, mutton today, and blimey, if it don’t look like mutton again tomorrer.’と言います。（Tolkien p.44）

このセリフで、itのあとがdon’tだったり、tomorrowではなくtomorrerになっているところにお気づきでしょうか？

これはミスプリントではありません。イギリスの労働者階級のしゃべり方です。トールキンのトロルはこのように話します。神話伝説に出てくる怪物が労働者階級の英語を話すのはなかなか愉快ですが、そもそも「労働者階級」というのはイギリス人にとって、しばしば笑いを引き出すポイントになります。コメディアンが労働者階級の人間の口まねでしゃべったり、ときには「労働者階級」と口にしただけで、客席が笑いの渦となるというようなことが、かつてはよくありました。

これはイギリス文化に独特で、日本に対応するものはありませんが、そのことは差しおいても、文体的な落差がおかしみを醸し出すという仕掛けになっています。日本文学では、そう、夏目漱石の『吾輩は猫である』も文体の操作で笑いをさそいますが、それ以外にはほとんど見あたりません。

大多数の日本人が中流意識をもっていると言われますが、現代日本にはイギリスのように国民一人一人のアイデンティティにまで浸透し、しゃべることばにまで影響してしまうような階級は存在しません。したがって、日本語訳で「労働者階級」の話し方を模すことは不可能です。だけど、話すことばがビルボとトロルでまったく異なっていることはまちがいないし、トールキンは読者がそこに諧謔味を見いだすことを期待しています。私はビルボの必要以上にお上品な言葉遣いに対して、トロルには粗雑な乱暴者の口調をあたえることで、そんな効果を出そうと思いました。

というわけで、「きのうもヒツジ、きょうもヒツジ、そいで、あしたも、ぜってえにヒツジだぜ。くそったれめが」（トールキンp.42）。

ジョーク

トロルに食べられそうになったビルボが、食べられまいとして、奇妙きてれつなセリフを吐きます。

> I am a good cook myself, and cook better than I cook, if you see what I mean. (Tolkien p.46)

なんとも不思議な英語です。

これはI cook wellと言った場合に、「わたしは料理が上手」という意味と、「わたしを料理すればおいしくなる」という意味に取れるということを利用したジョークです。私の訳では「腕前」と「腕肉」の語呂合わせで、ジョークを再現しました。「わたくし自身、お料理は大とくい。ちょっと妙な言い方ですが、わたしの腕肉（うでにく）よりも、腕前（うでまえ）のほうがおいしいですよ」（トールキンp.44-45）。

このように、トールキンはどこまで許されるかを探るかのように、英語表現の極限をためします。ただし、狙いはコミックな効果だけではありません。自分を焼いて食おうか煮て食おうかなどと話している、無教養な乱暴者に対して、とっさにこんな高級すぎる冗談を口にしてしまうビルボって、どんな人物でしょう？

この主人公、冒険に出た最初のころは、命の危険にさらされても、情況の深刻さとかけ離れたすっとんきょうな反応をします。そして冒険になじんだあとも、終始とぼけたユーモアを忘れません。これが主人公の人物造形と作品全体のトーンにとってきわめて重要な役割を果たしています。

詩

トールキンはすぐれた詩人でもありました。『ホビット』には物語に合わせた詩がいくつか挿入されています。例えば、第１章でドワーフたちが、自分たちの冒険の旅について詠います。

> Far over the misty mountains cold
>
> To dungeons deep and caverns old
>
> We must away ere break of day
>
> To seek the pale enchanted gold. (Tolkien p.22)
>
> (遠い寒い霧の山をはるかに越え / 深い洞窟、古い洞穴へと / 夜明け前に我らは発たねばならぬ / 青白い呪文のかかった黄金を求めて)

これが第１連で、全部で10連あります。とても形の整った、技巧的な詩です。各行は原則として弱強のリズムの8音節で構成され、1、2、4連が脚韻を踏んでいます。また、misty mountains, dungeons deepと頭韻が用いられ、must awayやere break of dayなど、詩にしか用いられない語が用いられています。まるで「わたしは詩です」と大声で叫んでいるような詩です。

独訳、仏訳でも、音節数をそろえ、脚韻を用いて、形式の整った詩として訳されています。ちなみに独訳はこうなっています。

> Über die Nebelberge weit
> Zu Höhlen tief aus alter Zeit,
> Da ziehn wir hin, da lockt Gewinn
> An Gold und Silber und Geschmeid. (Tolkien 1998, p.31)
> (はるかな霧の山々を越え/昔の深い洞窟へ/我らは行く、魅せられて/金銀財宝を得ることに)

日本語訳を作るに際して、私も詩であることを自己主張するような形を考えました。子どもには少々難しいかもしれませんが、それも含めて原作の再現です。

> 朝(あした)まだきにいでたちて、
> 霧にかすめる山を越え、
> 行かん、谷間の深き穴。
> 蒼(あお)き魔法の黄金(きん)もとめ。(トールキンp.18)

頭韻

トールキンは言語学者で、とくに中世の「古英語」や「中英語」を研究していました。昔の詩でとてもポピュラーだったのが「頭韻」です。単語の頭の子韻をそろえるレトリックです。

『ホビット』は現代の英語で書かれた散文物語ですが、トールキンは高調した場面などで頭韻をひんぱんに用います。例えば、『ホビット』の最後の戦いがはじまる重要な場面で、

> Suddenly without a signal they sprang silently forward to attack. (Tolkien p.291)

とsの音が重ねられています。

Suddenlyもwithout a signalもsilentlyも、攻撃がふいに始まったことを形容しています。短い文に、同じような趣旨の語が密集して、英語散文のセンテンスとしては重苦しく、不自然な印象をあたえます。「だしぬけに、ダインの軍は、だれに合図もなく黙ったままダーッと突撃をはじめました」（トールキンp.322）と訳しました。

同じように、ドラゴンが死ぬ瞬間はこうです。

> With a shriek that deafened men, felled trees and split stone, Smaug shot spouting into air, turned over and crashed down from on high in ruin. (Tolkien p.262)

> 耳を聾し、樹をたおし、岩を裂くすさまじい叫びとともに、スマウグは水蒸気をシュウと噴出させ、一瞬、空へさして反り上がりました。そうして、腹をくるりと上に向けると、ぼろ雑巾のように天から落下してきました。（トールキン p.290）

原文にはsの音が響いています。訳文では「裂く」「すさまじい」「スマウグ」「水蒸気」「シュウ」「噴出」「一瞬」「空へさして」「反り」「そうして」と、しつこくサ行の音を重ねました。 from on high も同じサ行で「空から」と言いたかったところですが、宗教的なニュアンスが明らかなので、比喩的な意味をこめて「天から落下」と表現しました。

このように、私の訳では、頭韻そのものに加えて、リズムのよい対句、イディオムのニュアンスなどの再現を意図しました。

作品の構造

第1章で、ビルボのことがはじめて読者に紹介されます。

> バギンズ君は自分のことを、ごくごく平凡な人だと思いたがっています。でも、じつは決してそんなことはありません。それに、とても花好きで、詩的なところだってあるでしょう？（トールキン p.8）

英語の該当箇所は、

> Mr Baggins was not quite so prosy as he liked to believe..., he was very fond of flowers. (Tolkien p.14)

です。翻訳の「詩的なところだってあるでしょう？」が英語版にはないことにお気づきでしょうか？

原文は一見したところ何の変哲もないセンテンスですがprosyという語が問題です。文字通り「散文的な」という訳語はやや高級な語彙なので、周囲の文章と調和させるために、とりあえず「平凡な」と訳しました。「散文的な」だと意味の流れが滑らかでなくなります。

しかしその一方で、「散文的」はこの物語の中でとても重要な概念です。物語が終局に差しかかったところで、ビルボは詩を書き始めます。主人公が「散文的」な人から「詩的」な人へと変わる、というのが、『ホビット』という作品の重要な構造です。

原作において、詩的（poetic）の対立概念である（prosy）という語がここで用いられているというところに、作者トールキンの深い戦略があります。したがって、このように構築された作品構造が、読者に伝わるような訳文を作るのが翻訳者の義務だと思いました。

くわばらくわばら

第１章でガンダルフという魔法使いがビルボの前にと

つぜん姿を現し、ほとんどむりやりというか、強引にビルボを冒険に巻き込んでしまいます。そして旅の途中で姿を消しますが、また最後に登場して、この大冒険旅行の大団円を見とどけます。

最終章、冒険の数年後にこのガンダルフがビルボの屋敷に訪ねてきます。昔のことに話が及び、ガンダルフはビルボに向かって、危険な冒険をうまく切り抜けることができたのは、君（ビルボ）が獅子奮迅の活躍をしたからでも、運がよかったからでもないと述べたあと、「じゃあ、なんであんなにうまく行ったの？」という、とうぜん心に浮かぶ疑問に対して、次のように言います。

> You are a very fine person, Mr.Baggins, and I am very fond of you; but you are only quite a little fellow in a wide world after all. (Tolkien p.317)

逐語的に訳すなら「君はとてもすばらしい人だよ、バギンズ君。わたしは君がとても好きだ。だが、結局、君は広い世界の中の小さな者にすぎない」となります。

英語的にいって、'You are a very fine person, Mr. Baggins, and I am very fond of you.' の部分にはあまり意味はありません。その後で相手をけなすときにつける、お決まりの言い方です。皆さんも先生や上司などから言われた経験があるでしょう？「今度の君のレポートはほんとうにすばらしい。お見事としかいいようがない。だけど、ちょっと問題があってね…」などと始まって、最後は罵詈雑言だったりして……。

肝は後半にあるのです。ここで言いたいのは、「ビルボがちっぽけな存在だ」ということではありません。暗に述べようとしているのは、この広い世界には巨大な魔力を持った者が存在し、その人物が介在してすべてがうまくいった、ということです。それはガンダルフ自身かもしれません。孫悟空がしょせんお釈迦様の掌の中で飛び回っていたにすぎないのと同じように、ビルボはガンダルフの掌の中で動きまわっていただけかもしれない、ということです。

さて 'you are only quite a little fellow in a wide world' をどう訳しましょう？

「君は広い世界の中の小さな者にすぎない」と訳すと、「君は小さな者だ」が強調されますが、これは正しくありません。ここでは、「なぜ冒険が成功したのか」という疑問への答えとして、「広い世界には君には想像もつかない者が存在する」という意味を強く指し示す表現がほしいのです。そう考えて、私は「君とてしょせんちっぽけな存在にすぎん。世界はとてつもなく大きいのじゃよ！」（トールキンp.352）と訳しました。

これに対して、ビルボは 'Thank goodness!' と答えます。「ありがたい！」という気持ちを表す言葉ですが、ここの文脈には、「そんなこと知らなかった！」という驚愕が含まれます。また、超自然の存在に対する畏怖の念、「おお怖（こわ）！」という気持ちもあります。さあ、どうしましょう？

私は「世界はとてつもなく大きい」からは「畏怖」の反応が自然だと考え、「怖い」という意味の古風な間投詞である「くわばらくわばら」を、'Thank goodness!' に当てました。

そしてそのとき、はたと閃きました。第1章でビルボは、ガンダルフに冒険に誘われ、（ぬか喜びですが）うまく断ることができたと思う場面があります。そのときに言ったセリフが 'Wizards are after all wizards' でした（Tolkien p.14）。私はこれ幸いとばかりに、「魔法使いは魔法使い」の訳のあとに「くわばらくわばら」を付け加えました（トールキン p.9）。

「魔法使いは魔法使い」は「何をされるか分からないから怖い」という意味なので、これを付け加えることで文自体の意味が分かりやすくなります。しかも、最終章の謎めいたやりとりとうまく響き合い、原作の構造がよりはっきりと見えるようになります。

「似ている」とは何か

例を挙げるのはこれくらいにして、「再現」について整理してみましょう。

翻訳とは何らかのかたちで原作に「似たもの」を作ることだという定義に、異議を唱える人はいないでしょう。また、「似たもの」を作るというのを具体的にいうと、原作の様々の要素を「再現」することに他なりませんが、すべての要素を再現することはできないというのも自明のことです。

言うまでもなく文字通りすべての要素を再現するのは不可能です。それを究極まで突き詰めれば、アルゼンチンの鬼才ボルヘスの短編「『ドン・キホーテ』の著者、ピエール・メナール」の主人公のように原作の一字一句をなぞることになりますが、これはもはや「似たもの」というより、原作そのものです。したがって翻訳の定義からは外れます。

では、原作に「似せる」には、具体的にどのようにすればよいのでしょうか？

原作の要素を可能なかぎり多く写すというのが、1つの答えです。これは詳述するまでもなく明らかですが、それに加えてもう1つ重要なことがあります。それはもっとも目立つ特徴に注目する、ということです。これは似顔絵の作成に通じるところがあります。1つの際立った特徴を誇張するのは、似顔絵を描くときのコツではないでしょうか？

さきほどの頭韻の再現（「スマウグは水蒸気をシュウと噴出させ、一瞬、空へさして反り上がりました」）はその1つの例です。翻訳の際、頭韻を無視することは、もちろん可能です。というか、そのほうが簡単です。私の頭韻を見て「そこまでやるの？」と呆れている人もいるかもしれませんが、そこまでやるのがホントウの翻訳です。

なぜなら、原文はむんむんと頭韻の香りを漂わせているからです。無視しないでくれと叫んでいます。この声を聞けば、原作のレトリックを移殖し、原文がもつ不自然で重厚な感じを訳文に反映させないではすみません。それによってテクストの手触りという本質面でも、読者の受ける印象という機能的観点からも、より原作に似かよったテクストとなることは言うまでもありません。

異なる公理系

次に'you are only quite a little fellow in a wide world' 'Thank goodness!' に再度注目しましょう。

この英文に対して、「広い世界で君はちっぽけなやつだ」、「おかげさまで」という訳は意味をなしません。それは正常な人間同士の会話ではありません。こう述べると、逐語訳が絶対だと思っている人たち[2]は、「この訳以外にはありえない。そこにそう書いてあるのだから、仕方ないじゃないか」と反論するでしょう。

たしかにそう「書いて」はいます。しかし、そう「言って」はいないのです。これは微小（わずか）な違いに見えますが、そこで天と地が分かれます。

逐語訳を信奉する人にとっては「書かれたもの」が絶対です。そこに与えられた形が出発点であり終着点です。これとは対照的に、私にとっては書かれる以前の状況、言語表現に転換される前の、意味の充満した空間こそが出発点です。「書かれた文字」を信じるか、「文字として表現される前に存在していた意味」を信じるか？ 大げさに言うなら、これはどんな公理系を信じるかという問題です。天動説と地動説、あなたはどちらを信じますか？

意味空間

逐語訳を公理とする人たちは、文法を絶対視して、in a wide world は quite a little fellow を修飾しているから「広い世界の中のまったく小さなやつ」としか訳せないと主張します。しかし、ガンダルフがこう述べたときの、意味空間[3]を再現してみましょう。これを現実世界の生きた談話として分析すると、何が見えてくるでしょうか？

ガンダルフの意識を染め上げているのは、little と wide の対立です。そして、Bilbo is little と the world is wide という考えが存在しています。加えて、おそらく me masterminding the situation（わたしが黒幕だ）というような言葉がどこか下の方に浮遊しています。

ここでガンダルフは、同じ意味を表現するのに、砕けた調子で'you are just a little fellow, and the world is so wide, you know' などと言うこともできたはずです。しかし、実際にはそう言わずに、'you are only quite a little fellow in a wide world' と述べています。

これは偶然そうなったとまでは言いませんが、ほとんど文体上の微妙な好みでしかありません。後者には in という語が入っていますが、「中」を強く意味しているわけではないので、ほとんど形式的にそこにあるだけです。「そりゃまあ、常識的にいって、世界の外じゃあるまいから、しいていうなら中でしょ」といった程度です。ただし、絶対に譲れない点が1つあります。それは「世界は広い」という考えを最後に置き、それを強調しているということです。

翻訳者は原作の英語からそんな「意味空間」を再現し、そこから「君とてしょせんちっぽけな存在にすぎん。世界はとてつもなく大きいのじゃよ！」というガンダルフのセリフを「発話」し、日本語としての正しい意味の流れを創造するのです。

その際、読者のために意味の流れがさらに分かりやすくなるよう、「世界はとてつもなく大きいのじゃよ」の裏の意味を明示化して、「わたしが君を守ってやったのだ」と訳すこともできます。しかし、ガンダルフは遠回しにものを言うのが特徴なので、このように単純素朴な言葉を言わせると、キャラクターに齟齬が生じます。また、謎めいたガンダルフのセリフを読者が解読するという、原作の意味作用の構造がくずれます。

このような思考をするのが、意味のコミュニケーションを公理とした翻訳法です。

映画の文法

最後に、「意味のコミュニケーション」を公理とすることが、翻訳論という学問の今後の展開にとってきわめて重要な1ステップであることを述べておきます。すなわち「文字の背後にある、文字以前の意味」を出発点とすることによって、他のメディアへの理論的一般化が可能となります。これは翻訳論にとっては画期的なことです。そのことを『ホビット』の映画への「翻訳」を例にとって説明してみましょう。

『指輪物語』の大成功をうけて『ホビット』も映画化され、2012年から2014年にかけて上映されました。(4) その際、トールキンの原作の「意味空間」はどのように変換されているのでしょうか？

映画が始まると、まず、「はなれ山」（エレボール）のドワーフたちの歴史が語られます。山の地下に広壮な宮殿を作り、すぐれた工芸技術により財宝を蓄積していたが、ドラゴンのスマウグによってすべてが奪われ、ドワーフたちはほぼ全滅し、トリン以下少数の者が命からがら逃げたという物語が語られます。原作では、この情報は、物語の途中で、ドワーフたちが話したり、詩で歌ったりすることで読者に伝えられます。

小説の文法では、いきなり読者を現在のシーンに投げ込み、その後で過去の経緯が回想されるという形が好まれます。しかし、このような小説の文法は映画というメディアにはなじみません。いったん物語が始まると、すばやい場面の転換でいっきに物語を進めるのが、通常の映画の文法です。そのために、必要な情報をまとめて最初にいっきに伝えます。他の例を挙げるなら、『赤毛のアン』の映画版でも同じような文法的転換が生じています。

また映画は映像が意味の単位、すなわち「単語」であるというメディア的特性から、心理描写は得意ではありません。『ホビット』の原作では、「冒険」か「格式」かで揺れる主人公の心理が詳しく書かれていますが、映画版ではかなり簡略化されています。

コメントから映像へ

とくに面白いのが、ビルボの家に訪ねてきたドワーフとビルボのやりとりです。原作では、扉があくと、バリンがいきなり‘at your service’（「あなたの下部（しもべ）です」）と述べます（Tolkien p.16）。これはドワーフの定形の挨拶言葉です。これに対して「私こそあなたの下部です」と返すのが、礼儀にかなったやりとりです。

ビルボは一人目のドワーフが来たときにはそのように折り目正しく受け答えをしましたが、二人目のバリンのときには、動転して「それはどうもありがとう」と返してしまいます。これに対して「この返事はどうみてもトンチンカンですが」と作者が本文に顔を出し、コメントを加えています。（トールキンp.11）

このやりとりは、ホビットとドワーフでは、一応同じ言語を用いてはいるものの、慣用句が違うということから、風俗習慣を異にする別の種族であることを印象づけ、コミックな味わいを出しているのです。

この例のように言葉に依存している場面は、どのように映像化されるのでしょうか？

映画版では、バリンの‘at your service’に対して、ビルボは‘good evening’と返します。すると、バリンがキョロキョロと外を見回して、‘Yes, yes, it is. Though I think it might rain later.’（「ええ、ほんとうに。でもあとで雨が降りそうですね」）と、まともにお天気の話として返事をします。つまり‘good evening’がお天気に関係なく用いられるホビットの挨拶言葉であることを、バリンが知らないという演出です。

もうお分かりでしょうか？ 原作では作者のコメントだったところが、同じ「意味空間」を表現するのに映画の文法にのっとって、俳優の仕草と‘good evening’への不思議な反応という、観客にとって分かりやすい演技に置き換えられています。

ガンダルフ、ガンダルフ！

物語の冒頭、家の前にやってきた老人が誰だか、ビルボには分かりません。「わしはガンダルフじゃよ」と言われたときの反応は、‘Gandalf, Gandalf!’と書かれています（Tolkien p.13）。

ドイツ語訳、フランス語訳は‘Gandalf, Gandalf!’、日本語訳も単純に訳せば「ガンダルフ、ガンダルフ！」で、一応はそれで十分です。

では、それを朗読してみてください。あなたならどう読みますか？

映画版では、俳優は眉をしかめ、脇を向いてかすかな声で‘Gandalf’とつぶやいてから、次に相手に向かって大きな声で‘Not Gandalf who made...’と思い出話をはじめます。一瞬誰かと自問してから「ああそうか！」と驚く演技です。BBCのラジオドラマ版では、「誰だろう」と考えるようなトーンで‘Gandalf’とつぶやいたあと、‘Ah! Gandalf!’と喜びを含んだ声で叫びます。

原作の‘Gandalf, Gandalf!’は、「最初は相手が分からないが、一瞬後に思い出す」という「意味空間」を、トールキンが文字に表したものです。同じ「意味空間」を映画やラジオドラマに「翻訳」すれば、上に紹介したような映像や、声のドラマになります。では、日本語にどう「翻訳」されるでしょう？

> ふうん、ガンダルフ…、ええっ、ガンダルフだって！
> （トールキンp.8）

これが私の日本語版です。

隠れた意味を明示化する

最後にもう１つだけ例を挙げましょう。

原作では、数年後にガンダルフがビルボの家を訪ねてくる場面で終わります。そこで、（すでに先ほど詳しく説明したように）冒険が成功したのは、何か魔力をもった者によって守られていたからだということが、ガンダルフによって謎めいた言葉で述べられます。映画版では時間が縮められて、冒険を終えて故郷に帰ってきたところで、ガンダルフがビルボと別れる間際に述べるセリフに転換されています。しかも、その内容はこうです。

> 'I've kept my eye on you ever since.'
> 'Thank goodness.'
> (それ以来、わたしはずっと君に目を注いでいたのだ。/ご親切に。)

原作のガンダルフの謎めいた言葉は、場面が次々と展開することを求められる映画には不向きです。じっくり考える時間のある書物と、次々と映像が切りかわるメディアの文法の違いはここにも明らかです。

特殊翻訳理論から一般翻訳理論へ

小説には小説の文法があります。原作の文章から、「意味空間」に含まれている考えやことばを引きずり出し、翻訳先の言語・文化の文法に則って情報を選択し、明示化し、さらに文脈に即して適切な(英語でいえばrelevantな)文体的特徴を選び取り、必要ならば文化的調整を加えながら別の言語で再現する、それがいわゆる翻訳です。

これに対して、映画には映画の文法があります。原作の「意味空間」に含まれている概念や語を引きずり出してくるのは同じですが、それを視覚情報が中心の独自の文法によって、スクリーンの上に再現します。すなわち映像への「翻訳」です。

ロマーン・ヤーコブソンは、翻訳には「言語内翻訳」、「言語間翻訳」、「記号法間翻訳」の3種類があると言いました（ヤーコブソンp.57-58）。言語内翻訳は同じ言語内での翻訳、言語間翻訳は異なる言語間の移し変え、記号法間翻訳は言語芸術から映画などへの、異なる表現媒体への移し変えを意味します。

ここまで詳しく説明してきたように、「意味のコミュニケーション」を公理とし、「意味空間」を出発点とすることで、この3種類の翻訳が、同一の理論的土台から論じることが可能になります。すなわち、「特殊翻訳理論」から「一般翻訳理論」への道が開けます。この道の先には広大な宇宙空間がひろがっている予感があります。この偉大な冒険の、旅の仲間が大勢出てきますよう！

第7章

翻訳と文体

——どうやって「似せる」か——

翻訳分析の練習をやってみましょう。

取り上げる英文は、第5章でもご覧いただいたギャスケル夫人の『クランフォード』です。クランフォードという田舎町の上流だけど貧しいご婦人たちが、地主のホルブルック氏のところに呼ばれ、ごちそうになる場面です。

アヒルの肉とグリーンピースが運ばれてきました。もちろんナイフとフォークはありますが、フォークは先が二又に分かれたもので、グリーンピースを食べることができません。ホストのホルブルック氏はへいきな顔をして、ナイフを使って食べています。ところが、ご婦人がたにはそんな無作法なことはできず、おいしそうなグリーンピースを前にためいきです。

> I saw, I imitated, I survived! My friends, in spite of my precedent, could not muster up courage enough to do an ungenteel thing; and, if Mr Holbrook had not been so heartily hungry, he would probably have seen that the good peas went away almost untouched. (Gaskell p.75)

この文章の語り手「わたし」(I)というのは、この物語の語り手で、他のご婦人たちよりもかなり若い娘です。

様々な文体

まず、最後のセンテンスに注目します。

> — if Mr Holbrook had not been so heartily hungry, he would probably have seen that the good peas went away almost untouched.

以下の４つの訳をご覧ください。

(1) もしも、ホルブルック氏が心から空腹でなければ、彼は多分、そのよき豆がほとんど触れられないで行ってしまうのを見たであろう。

(2) ホルブルック氏は腹ぺこのあまりひたすらがつがつと食べていたので、おいしい豆が手もつけられずに下げられたことにも気がつかなかった。

(3) ホルブルック氏が食べるのに夢中で気づかなかったからよいものの、おいしい豆はあたら手つかずのまま下げられてしまうはめとなった。

(4) ホルブルックさん、食べるのに夢中で幸いでした。せっかくのおいしい豆が、手つかずのまま下げられちゃったのです。

それぞれの訳が何をしようとしているか、分かりますか？

大学の授業なら、「さあ皆さん、今から十分差し上げますから、周りの人と相談してください。あとで発表してもらいます」と、文科省ご推奨の「アクティブ・ラーニング」をやるところですが、時間が経過したことにして答えを言いましょう。

(1)は「逐語訳」です。英語のheartily hungryという表現が問題ですが、これはeat heartily「たっぷり食べる」という慣用句を意識していて、「たっぷり食べたくなるほど空腹だ」という意味です。「心から空腹」は日本語として奇妙ですが、辞書の定義をそのままもってくるとそうなります。さらに「もし…なら…であったろう」という、学習英文法で教えるところの「仮定法過去完了」を実直に訳しています。まさに「逐語訳」の典型です。

(2)は表面の英語から「意味空間」を掘り起こし、heartily hungryも仮定法過去完了も、日本語として自然な表現に転換して発話しています。

(3)は語り手の視点をはっきりさせ、「よかったものの」、「あたら」など感情を表す語までをも含めて再現しています。

(4)はそれに口語的な語尾を加えて語り手の個性を際立たせ、現代日本の小説に近い文体に変換しています。

さあ、いかがですか？ 満点が取れましたか？

パロディを訳す

ここからがこの章の本題ですが、148ページの例の最初のセンテンス、さてどう訳しましょう？

「私は見て、まねて、生き延びた」では、あまりにぶっきらぼうだなあ。ここはひとつ文脈を汲みとって、「そんなホルブルック氏のしぐさを見た私は、それをまねて豆を食べることができたのでした」とていねいに訳すのが正解だと考えたあなた、「とてもお上手ですね」と褒められると思っているでしょう？　悦にいっていると、大目玉をくらいますよ。

このセンテンスは、ローマの将軍カエサルが紀元前47年に、ローマの元老院に送った戦勝の知らせ 'Veni, vidi, vici'（「来た、見た、勝った」）をもとにしたパロディです。

たしかに、「わたし」は、ホルブルック氏のまねをしてグリーンピースをナイフですくって食べました。「実用文」なら、どんな訳語を当てはめようと、この事実さえ伝われば終わりです。

しかし、この場合はパロディなので、文体の特徴を意識し、もとの表現が向こう側に透けて見えるように「私は見た、私はまねた、私は生き延びた」などと訳したくなります。「見た、まねた、生き延びた」と言いたいところですが、それでは突飛すぎて読みにくいかもしれません。それはともかく「カエサルのパロディだ」という情報はきわめて重要です。この文は文学作品としての『クランフォード』にとってrelevantな特徴です（ただし、注釈が必要かもしれません）。

擬似英雄詩

さて、「文体を再現する」と聞いて私の頭に反射的に浮かんでくるのは、朱牟田夏雄の『トム・ジョウンズ』です。原作*Tom Jones*は18世紀イギリスを代表する小説家ヘンリー・フィールディングの傑作です。

原作は現代から見ればかなり古風で、折り目正しい英語で書かれていて、けっこう難しいです。翻訳の初版は岩波文庫、1951年の出版です。以来すでに70年近くの歳月をへた日本語は、現代の若者に分かりにくく感じられるかもしれませんが、朱牟田夏雄は英語力ばかりか日本語の文章力も破格の存在で、私にはほとんど神さまのような人です。

『トム・ジョウンズ』の中に、古代ギリシャの英雄詩『オデッセイ』で有名な、ホメロスの文体のパロディを行っている箇所があります。まずは、詩を司る女神への呼びかけ（invocation）からはじまります。

> Ye Muses, then, whoever ye are, who love to sing battles, and principally thou, who whilom didst recount the slaughter in those fields where Hudibras and Trulla fought, if thou wert not starved with thy friend Butler, assist me on this great occasion. All things are not in the power of all. (Fielding p.173)

> さらばおんみら、何神かは知らねど戦いの歌を愛する

> ミューズの神々よ、就中(なかんづく)おんみかつてヒューディブラスとトララとの戦いし野に殺戮(さつりく)を語りし神よ、おんみ、おんみが友バトラーとともに餓えてあらずば、来(きた)ってこの大事に際会(さいかい)せる我を助けよ。何ぞすべての者すべての事を能(よ)くするを得んや。（フィールディングp.181-182）

こうして詩神の助けを借りて荘重な文体で語る内容は、イギリスの田舎の村の、女たちが展開する取っ組み合いの大げんかです。舞台は墓地で、骸骨が転がっています。

> — the church-yard was the field of battle, where there was to be a funeral that very evening. Molly pursued her victory, and catching up a skull which lay on the side of the grave, discharged it with such fury, that having hit a taylor on the head, the two skulls sent equally forth a hollow sound at their meeting, and the taylor took presently measure of his length on the ground, where the skulls lay side by side, and it was doubtful which was the more valuable of the two.
> (Fielding p.173)

> 戦場は墓地にしてこの夕べ葬式の予定ありしなり。モリーは勝ちに乗じて追いすがり、墓のかたえにありたる髑髏(どくろ)をつかみざま勢い猛に投げつくれば、裁縫師の

頭に発止(はっし)とあたり、死せると生けると二つの頭(こうべ)は打ち合いてともにうつろなる音を発す。裁縫師はたちまち地上に長々と横たわり、頭(こうべ)と頭は相並びていずれが貴重なりともわかたざりけり。(フィールディングp.182)

荘重でありながらいっきに流れる名調子、滑稽な内容との対比が際立ちます。擬似英雄詩(mock heroic)と称されるレトリックですが、こういうのを見せられると、笑うよりも、あまりの見事さにため息が出ます。時の流れ、日本語の変化とともに、このような翻訳を楽しんで読める人が数少なくなってくるのが残念でなりません。

若者ことば

文体の特徴が有名な小説の一つに、*Catcher in the Rye* があります。アメリカの作家サリンジャーが1951年に発表した小説です。主人公は十代後半の少年で、思春期の不安定な精神状態にあり、大人世界の嘘、たてまえやきれいごとを敏感に嗅ぎつけてしまって、学校生活にも適応できません。子どものイノセンスと大人社会の対立というかにもアメリカらしい小説で、大ベストセラーになりました。この小説が大きな話題になったのは、そのような当時の小説としては新鮮だった内容に加えて、一人称で語る主人公ホールデンの、俗語だらけの青少年コトバでした。

例えば、第15節にこんな一節があります。

> I was still sort of crying. I was so damn mad and nervous and all. "You're a dirty moron," I said. (Salinger p.108)

このサリンジャーの小説を日本語に翻訳したのは野崎孝（『ライ麦畑でつかまえて』）でした。この箇所はsort of、damn、and allなど、あまり上品でない会話表現だらけです。野崎訳では「僕はまだ泣くのをおさえることができなかった。すっかり逆上して、おろおろして、どうにもならなかったんだ。『きたならしい低能野郎さ…』」と訳されています（サリンジャー1984, p.161-162）。少年の、くだけた話しことばが意識されています。

ホテルのボーイ兼ポン引きの男を、ホールデン少年は侮辱します。するとパンチが飛んできました。

> I wasn't knocked out or anything, though, because I remember looking up from the floor and seeing them both go out the door and shut it. Then I stayed on the floor a fairly long time, sort of the way I did with Stradlater. Only, this time I thought I was dying. I really did. I thought I was drowning or something. (Salinger p.109)

> でも、のされちゃったりなんかしたわけじゃない。だって、床に転がったまま、奴らが部屋から出て、ドア

> をしめるのを見てたことを覚えてるもの。それからも僕は、かなり長い間床の上に転がってたな、ストラドレーターにやられたときと同じように。ただ、今度のときは、このまま死ぬんじゃないかと思ったね。ほんとなんだ。おれは溺(おぼ)れるかなんかしてるんだ、と思った。（サリンジャー1984, p.162）

このあと少年は立ち上がり、よろよろとバスルームまで行きますが、そこで、ピストルで相手を撃って仕返しする場面を夢想します。

しかし、そのあとで、‘The goddam movies. They can ruin you.’（Salinger p.109）すなわち「映画の野郎の影響さ。映画ってのはひとをだめにする」（サリンジャー1984, p.163）と言います。ここでもくだけた話しことばが意識されているのが分かります。

自然な日本語

このサリンジャーの小説は、村上春樹の翻訳（『キャッチャー・イン・ザ・ライ』）もあります。同じ場面が以下のように訳されています。

> でもべつに意識をうしなったわけじゃない。というのは僕は、二人が部屋から出ていってドアが閉まるのを、床から眺めていたことを覚えているからだ。かなり長いあいだそこに同じかっこうで横になっていた。スト

> ラドレイターにやられたときと同じようにね。ただ今回は、そのまま死んでいくような気がした。ほんとうにそんな気がしたんだ。まるで溺れているみたいだな、と思った。（サリンジャー2006, p.176）

そして最後の部分は「こういうのもみんなくだらない映画のせいだ。映画って人を駄目にしちゃうんだよ」（サリンジャー2006, p.177）です。

こうして並べてみると、野崎訳が、英語のor somethingやgoddamを律儀に訳していることが際立ちますね。or somethingは「なんか」という語に置き換えられ、goddamは「の野郎」になっています。村上訳ではor somethingは無視されています。また、goddamは「くだらない」という自然な強調語で表現されています。

どちらも全体として少年が話しているくだけた文体に変わりはありませんが、野崎訳は出てくる俗語表現を一つ一つ意識して、日本語に置き換えています。これに対して、村上訳は日本語としての自然さを大事にしているように見えます。

私の日本語ネイティブとしての直感からいって、「のされちゃったりなんか」も「溺れるかなんかしてる」も「映画の野郎」も不自然な感じをまぬかれません。or somethingだから「なんか」と訳しておこうというのは、なんだかヴェヌティの「異化翻訳」にそっくりですね？ 日本語の「なんか」は英語のor somethingと用法や効果がぴったりと対応しているわけではなく、どうしても英語の表現を生でもってきているな、と感じてしまいます。

これに対して村上訳は、原文の奥にある「意味空間」から「意味」をそのまま引っ張り出してきて、文体的な装飾なしに表現しています。感覚的には「直訳」と呼びたくなります。

野崎訳でもう一つ気になるのは、「のされちゃったり」という訳そのものです。原文knocked outのoutは、blackoutなどの語にも入っている「意識を失う」という意味です。文脈としても、「奴らが部屋から出て、ドアをしめるのを見てたことを覚えてる」と続くので、明らかに意識があったかどうかが意味の焦点です。わざと俗語的表現を使いたくて「のされる」と訳したのかもしれませんが、「のされる」は基本的に「倒される」という意味なので、ぴたりとはまりません。つまり、文章としてピンぼけです。野崎訳のこのような印象は、この箇所にとどまりません。

私がどちらかといえば村上訳のほうが読みたいなと思ってしまうのは、英語の読みとして正確なばかりでなく、すべての日本語表現に責任をもっているという印象があるからです。これはすぐれた作家の証の一つではないでしょうか。

俗語で書かれた物語

マーク・トウェインの*The Adventures of Huckleberry*

*Finn*も俗語の使用が大きな特徴ですが、柴田元幸訳の『ハックルベリー・フィンの冒けん』は、原作のくだけた文体を再現しながら、日本語として不自然にならないよう、きちんとコントロールがなされているように感じます。例えば、冒頭は次のようになっています。

> YOU don't know about me without you have read a book by the name of "The Adventures of Tom Sawyer," but that ain't no matter. That book was made by Mr. Mark Twain, and he told the truth, mainly. There was things which he stretched, but mainly he told the truth. That is nothing. I never seen anybody but lied one time or another, without it was Aunt Polly, or the widow, or maybe Mary. (Twain p.1)

> 「トム・ソーヤーの冒けん」てゆう本をよんでない人はおれのこと知らないわけだけど、それはべつにかまわない。あれはマーク・トウェインさんてゆう人がつくった本で、まあだいたいはホントのことが書いてある。ところどころこちょうしたとこもあるけど、だいたいはホントのことが書いてある。べつにそれくらいなんでもない。だれだってどこかで、一どや二どはウソつくものだから。まあポリーおばさんとか未ぼう人とか、それとメアリなんかはべつかもしれないけど。
> (トウェインp.10)

without you have read a book...、ain't、That book was made、There was things など、学習英文法が絶対だと思っている人が見れば卒倒しそうな表現が並んでいますが、柴田はスタンダードな漢字表記をくずし、子どもらしい話しことばを交えることでうまく模倣し、読者にあたえる印象という点で成功しています。とくに私が好きなのは、日本語として不自然にしないぞ、という強い意志がはたらいているのが感じられるところです。すばらしいと思います。

鴎外の翻訳

ここで1つ思い出したことがあります。明治の文豪森鴎外はドイツを始めとして欧米の数多くの作品を翻訳しましたが、その翻訳法について評価がまっこうから分かれています。「いかなる色調を出さうとすることさへも考へなかつたかの如く無雑作な単色でなすられてある」(野上p.99) と「直訳」であるかのように評される一方で、「もとの存在に日本的選択、日本的変貌を加え」(大山・吉川p.39) た「文人」の訳だとも述べられます。

鴎外自身はどうかというと、「譯本ファウストについて」という文章の中で、「総て此頃の私の翻訳はさうであるが、私は『作者が此場合に此意味の事を日本語で言ふとしたら、どう言ふだらうか』と思つて見て、その時心に浮び口に上つた儘を書くに過ぎない」(鴎外p.877) と述べています。

これを前章で用いた私流の用語で言い直すなら、鴎外は原文を読んで心に浮かぶ「意味空間」を眺めて、それを自分の言葉で書いているのだと説明することができます。つまり、直訳・意訳の二分法を超越したところで仕事をしています。そして、たまたま単語や構文にそのまま日本語を当てはめれば意味が通じるような原作の場合には「直訳」に見え、かなり変形しなければ普通の日本語にならない原作であれば「意訳」に見える、というに過ぎません。

このように、西欧の言語を読んで、文字の向こうに「意味空間」を見ていた文学者は明治初期の若松賤子、森鴎外、夏目漱石などにはじまり、芥川龍之介をへて昭和の関口存男、朱牟田夏雄などへとつらなっていますが、このような視点を持ち得た先覚者たちの系譜については、また別の機会にお話しすることにしましょう。

息の長い文章

思わぬ脱線をしましたが、最後に、文体の模倣を実演してみたいと思います。次のテクストはモンゴメリの『赤毛のアン』第1章、物語の冒頭です。

> Mrs Rachel Lynde lived just where the Avonlea main road dipped down into a little hollow, fringed with alders and ladies' eardrops, and traversed by a brook that had its source away back in the woods of the old

> Cuthbert place; it was reputed to be an intricate, headlong brook in its earlier course through those woods, with dark secrets of pool and cascade; but by the time it reached Lynde's Hollow it was a quiet, well-conducted little stream, for not even a brook could run past Mrs Rachel Lynde's door without due regard for decency and decorum; it probably was conscious that Mrs Rachel was sitting at her window, keeping a sharp eye on everything that passed, from brooks and children up.... (Montgomery p.1)

この文章の１つの大きな特徴は、ピリオドがなく、一見したところ全体が長い一文になっていることです。では、それを模倣して、日本語でも句点を１つにすべきでしょうか？

もとの文が長いから訳文も長くするというだけのことでは能がありません。

この一節はテーマが川なので、途切れずに流れる感覚を表現しようとしているのでしょうか？ そうかもしれません。ただしよく見れば、周囲の風景の変化をたどりながら川の流れを追っている、というわけではありません。

比較のために、第４章の、走る汽車を描いたディケンズの文章（81ページ（C））をもう一度ご覧ください。この文章では、汽車の走る物理的イメージが、センテンスの長さとリズムによって表現されています。すなわち「図象性（アイコニシティ）」が濃厚です。したがって、この原文は翻訳に対して、汽車の走りを模した、延々と続くセンテンスを要求します。それがもっとも重要（relevant）な特徴だからです。

『赤毛のアン』の冒頭のセンテンスに、これほどの図象性があるでしょうか？ 答えはもちろん「ノー」です。

また、ピリオドがないといっても、ピリオド相当のところがセミコロンで区切られ、間のそれぞれの文章は、とくに無理な構文によって長くしたという印象はありません。そう考えると、長いセンテンスを作ろうとして、不自然な日本語を当てるのでは、むしろ原作との距離を遠くするように思います。

センテンスが長いかどうかの判定はコンピュータの得意技です。しかし、なぜ、どのように長いのか、それを分析するのは人間にしかできません。原文が長いから翻訳も長くするなんて言ってると、AIに負けてしまいますよ。

風景を描く

何を翻訳するにしても、まず、原文を読んだ翻訳者の頭の中に「意味空間」ができていなければなりません。この一節の場合は、具体的な地理的・空間的イメージです。

これを書いているモンゴメリは、おそらく身近にある実際の場所を思い浮かべていたのではないかと思います。翻訳者はまずどんな地形・風景なのか、言葉を手がかりにして再現します。それはおおよそ以下のようなものです。

小高い丘に木々が密集し、その間に、カスバート家の古い屋敷があります。屋敷と村道の位置関係はこの一節からは分かりませんが、遠からぬところを村道が走っているのではないかと私は想像します。道は丘を下り、最後に急坂になって小さな谷間にはいりますが、坂を降り切ってすぐのところにリンド夫人の家があります。また、カスバート家のある森に泉があり、そこから流れ出した川がこの谷を流れていますが、谷の中は比較的平らなので、流れは緩やかです。谷を囲む斜面にはハンノキとフクシアが自然の垣根のように生えています。そしてリンド夫人の家はこの川のすぐそばです。

ざっとこのような風景です。いかがですか？ 皆さんの想像と合致していましたか？

言語の分析

言語表現を分析して、さらに精密な絵に仕上げましょう。「村道」はthe Avonlea main roadからの想像です。roadは比較的きちんとした道で、町と町を結ぶ街道などのことですが、アヴォンリーという小さな村なので、この一本道の脇にちょっとした店が並んでいるというような風景が想像できます。

dipped downは道が急傾斜になって、がくんと下がるさまを表しています。その一帯はhollow（低くくぼんだ土地）と呼ばれています。hollowを辞書で調べれば「窪地」と書いてあります。日本語の「窪地」は周囲よりもへこんだ、じめじめした土地を連想させますが、はたしてここはそのような地形でしょうか？ 周囲よりも低くて、川まであればふつう家は建てません。それは常識というものです。

おそらくhollowという呼び名は、急に下がるという意味のdipという語から引き出されているのではないかと推測しますが、この地形の実際の姿を読者に正確に伝えるにはどう表現すればよいでしょうか？ 川が流れているので、私なら単純に「谷間」と訳します。そこが「谷」であることが分からず、「へこんだじめじめした土地」という図柄をもたらすのでは、正しい訳とはいえません。

traversed by a brook...から、この小川はカスバートの森から流れてくることが分かります。数ある『赤毛のアン』の翻訳でほとんど、この部分が「窪地」を「横切る」とか「横向きに川が流れている」と訳されていますが、はたして正しいでしょうか？ 私の目には、単に谷の端から端まで川が流れている風景が見えます。

そもそも川が谷を「横切る」という表現は何となく落ち着きません。ふつう川は谷を「縦に」流れるからです。辞書にひきずられて「横切る」という言葉を使うと、こんどはその言葉にひきずられて、重力の方向がでたらめな不可能空間が描かれてしまいます。単純素朴に「川が谷を流れている」くらいが、妙なニュアンスを加えない、妥当な日本語表現ではないでしょうか。

the old Cuthbert placeから（とくにplaceの語感から）、それなりに立派な家や屋敷が想像されます。「カスバート家の古いお屋敷」と言いたくなります。

もっとも目立つ特徴

このように、それぞれの言葉のニュアンスを手がかりにして、風景の細部が想像されますが、文体という観点からいって、この文章には大きな特徴があります。小川が擬人化されていることです。それはit was reputedという、まるで人の噂でもするような口調から始まって、延々と続きます。

> — it was reputed to be an intricate, headlong brook in its earlier course through those woods, with dark secrets of pool and cascade...

headlongは「向こう見ず、がむしゃら」な性格を意味します。具体的には流れが早い川であることを意味しますが、この擬人化は、段落の最後まで引き継がれます。with dark secrets of pool and cascadeというのは、「この川は森の中を流れているときは不良少年で、水たまりや滝などといういかがわしい姿に変身する（あるいは自慢にならない仲間を隠す）という、人聞きの悪いことをしている」というくらいの意味です。しかし、リンド夫人という口うるさいおばさんの家の前を走るときはお行儀よくとりすましている（つまり流れが穏やか）、というふうに比喩が流れ続けます。

この大掛かりな比喩によって、作者の踊り出したいほどの楽しい気分が伝わってきます。これは、この段落にとってもっとも重要な要素といえます。

切り捨ての美学

以上のような考慮をもとに訳してみました。

> レイチェル・リンド夫人の家は小さな谷間の、アヴォンリーの村道が急な下り坂となって降りきったところにあった。谷はハンノキとフクシアの茂みにかこわれ、真ん中を細い川が流れている。流れは、森の中にあるカスバート家の古い屋敷のあたりで湧きだしている泉が源だ。この流れときたら、森の中にいる間はまるでひねくれ者のきかん坊で、深い木々の翳に、人知れずいかがわしい滝や水たまりをかくまっているというもっぱらのうわさである。だが「リンドの谷」までくると、この荒くれ者は躾けがよく、物静かなせせらぎに変わってしまう。リンド夫人の家の前を行き過ぎるときには、小川ですらお行儀よくとりすましていなければならないのだろうか？ そう小川にだってちゃんと分かっている。リンド夫人はいつも窓辺に座って、小川や子どものことにはじまり、何から何まで目を鋭く光

> らせているのだ……[1]。

文学作品を翻訳する場合は、「意味空間」を正確に再現して的確に表現するべきことはいうまでもありませんが、文の長さ、比喩、文体的な硬さ柔らかさ、語り方、音韻的効果、作者の気分など様々な文体的特徴のうち、もっとも目立った特徴を捉えるばかりでなく、比較的に重要度の低い特徴はバッサリと切り捨てるという思い切りも必要です。

翻訳家は吝嗇（りんしょく）ではつとまりません。

第8章　翻訳革命

―新たな翻訳論への旅立ち―

あなたはロープを結べますか？

SAS And Elite Forces Guide: Ropes and Knots という題名の本があります。この題名から窺えるように、主として、陸軍などの特殊部隊の活動に必要となるロープの結び方について紹介・解説した本です。以下、「ムンター・ヒッチ」と呼ばれる結び方についての説明です。

> Make a loop in the rope and slip into a locking karabiner. Form a second loop with the line crossing opposite the first loop. Slip the second loop into the carabiner.(1)

> ロープの途中に輪を作ってロック式カラビナに入れる。さらにもう1つ輪を作るが、このとき足の出る側を1つ目の輪と逆にする。２つ目の輪をカラビナに入れる。（拙訳）

『SAS・特殊部隊式 図解ロープワーク 実践マニュアル』より

この結び方は登山者や、懸垂下降をする特殊部隊の兵士にとって重要なものです。降下中に、ぐいとしまってスピードを抑える結び方です。

翻訳の三角形

このムンター・ヒッチの例は現実世界と文章との関係について何を教えてくれるでしょうか？

ちょっと大げさな物言いをするなら、この世界にはムンター・ヒッチと呼ばれるロープの結び方が存在します。この英語の文章はそれを「現実」のものとして存在させるための指示です。

もっと正確にいうなら、「ムンター・ヒッチ」という概念（アイデア）が存在し、それを英語の記述が模しています。そして、この英語の記述を読み、その通りの動作を行って、「ムンター・ヒッチ」を現実世界に存在させることができるとすれば、その英語の記述はこの概念の「翻訳」として成功したということになります。

ムンター・ヒッチのアイデアと英語原文の関係についてはこれくらいにして、次に、原文と日本語訳の関係について、何が言えるのか考えてみましょう。

この場合の日本語は英語版からの翻訳ですが、英語原文の文章の形式に対して忠実であることが求められるでしょうか？ はっきりいって、それはナンセンスです。

例えば、英語の最初のセンテンスをご覧ください。

> Make a loop in the rope and slip into a locking karabiner.

形は命令形です。辞書にはslipは「滑り込ませる」と定義があります。

これを根拠に、「『ロープの中に輪を作り、そしてロックがかかるカラビナの中に滑り込ませろ』と訳すのが正しい」という人がいたら、あなたはどうしますか？「あんた頭おかしいんじゃない」といって相手にしないでしょ？

日本語の文を読んで、ムンター・ヒッチが結べるかどうか、それがすべてです。結べれば翻訳として合格、結べなければ落第です。[2]

言い換えれば、翻訳は現実世界との対応ができているかどうかで成否が決まる、ということです。つまり正しい翻訳であるかどうかは、現実世界に照らし合わせてはっきりと検証できるということです。しかも、それが唯一の判断基準です。

もうお気づきでしょうか？ これは翻訳論としては、きわめてラディカルな主張です。翻訳の正しさは原文とは無関係で、百パーセント現実との照合で決まると述べているのですから。

原文は、それ自体がどんな現実を描き出しているかどうかという限りにおいてのみ、意味があります。そして翻訳は、その現実を頭の中に正確に再構成できるものとなっているかどうかという限りにおいてのみ、意味があります。つまり、図式的にいうと、翻訳と原文には直接のつながりはなく、それぞれが指し示す現実とで三角形を形作っています。

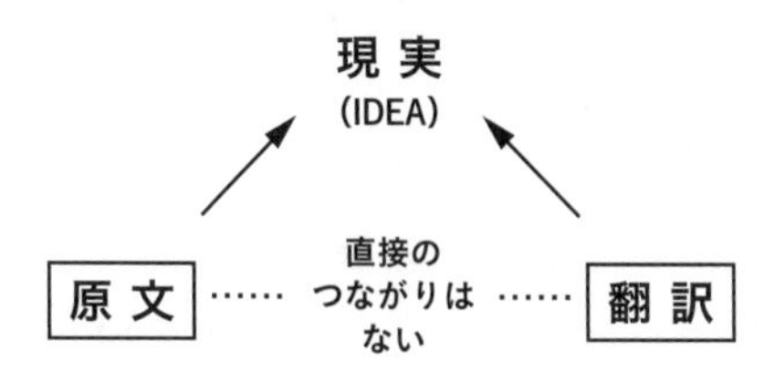

実用翻訳から文学翻訳へ

では、実用ならざる非実用のテクスト、すなわち文学テクストではどうでしょうか？ 果たして現実との対応という、実用テクストの基準は当てはまるのでしょうか？

ここで一つ例を見ていただきましょう。イギリスの作家ケネス・グレアム（1859-1932）による1908年出版の*The Wind in the Willows*（『たのしい川べ』）という作品があります。児童文学の古典として、世代を超えて読み継がれています。水辺のネズミやモグラやアナグマ、それにヒキガエルなどが登場しますが、これらの「人物」は二本足で歩き、人間のように話し、人間の着るものを着、人間の食べるものを食べ、馬車や自動車に乗ったり、ピクニックに行ったりします。極めつけはヒキガエルで、Toad Hallという名の、貴族のような立派な館に住んでいて、自分の富と家柄を誇っています。

ヒキガエルは虚栄心のかたまりですが、あるとき、自動車の無謀運転で事故をおこし、裁判ののち投獄されます。監獄の看守は人間で、その小さな娘がヒキガエルのことを可哀想に思って、脱獄させてやろうと思います。その一節です。

> One morning the girl was very thoughtful, and answered at random, and did not seem to Toad to be paying proper attention to his witty sayings and sparkling comments.
>
> 'Toad,' she said presently, 'just listen, please. I have an aunt who is a washerwoman.'
>
> 'There, there,' said Toad graciously and affably, 'never mind; think no more about it. *I* have several aunts who *ought* to be washerwomen.' (Grahame p.136-137)

この作品には石井桃子の訳があります。

> ある朝、むすめは、なにか考えごとがあるらしく、返事も上のそら、せっかくのヒキガエルの気のきいた警句や、すばらしい文句にも、ちゃんと気をつけていないようでした。
>
> 「ねえ、ヒキガエルさん。」と、やがて、むすめはいいました。「どうぞ、ちょっとあたしのいうことをおききなさい。あたしのおばさんがね、洗濯ばあさんをしているんですよ。」
>
> 「それは、それは。」ヒキガエルは、おうように、きげんよくいいました。「でも、そんなことを考えるのは、

> もうおよしったら。気にしないでも、いいじゃないか。ぼくにだって、洗濯(せんたく)ばあさんになったほうがいいようなおばさんが、いくらもいるよ。」(グレアム p.224)

この訳は正しいでしょうか？ 英語と読み合わせて非の打ちどころがないように見えます。でも、ほんとうにそうでしょうか？ 問題はhis witty sayings and sparkling commentsです。これは作者の意見なのでしょうか？ 作者は本心から、ヒキガエルが才気ある、機知にあふれた話上手だと思っているのでしょうか？

教養ある英語話者が原作を読んでどんな場面を思い浮かべるか、確認する手段があります。この作品にはイギリスで作られた映画があるので、どう演出されているかを見ればよいのです。実物をお見せできないのが残念ですが、映画版では、ヒキガエルが膝を叩きながら、Toad Hallでのパーティで、自分がいかにwitty sayingsを連発し、sparkling commentsを口にしたかを得意になって自慢しています。

> And of course, the parties. People so enjoyed my speeches..., my jokes, hahahahaha.... So witty, hahahahaha....(3)

すなわちこの映画版では、wittyでありsparklingであると思っているのは、ヒキガエル自身であり、作者ではないということがはっきりと示されています。

実のところ、映画版では時間を短縮する必要上、カエルが過去の場面を回想しているように演出されていますが、原文を読んで読者が思い浮かべるのは、カエルが自分ではすばらしいと思っているが実はくだらないことを得々と話しているのに対して、娘は考えごとをしていて、カエルがそれにふさわしいと思うような反応をしていない、というような場面です。

英語表現に注目するなら、proper（まともな）という形容詞は上から目線で、ヒキガエルの偉ぶった気持ちを表現しています。上から目線というなら、graciouslyという語はさらにそうです。これはただ「親切」というのではなく、「身分の高い人が目下の人間に対して親切に」という意味です。The Queen graciously invited me to Buckingham.（女王が私をバッキンガムに招いてくださった）といった文が典型的用法です。したがって、ヒキガエルの動作にこの語がつけられているところから、ヒキガエルがこの貧しい看守の娘に対して、階級的優越感をもっているということが、皮肉に表現されています。これが作者グレアムが仕組んだ意味です。

想像された「現実」との対応

それでは、このことを頭に置いて、もう一度石井桃子の訳を読んでください。ヒキガエルの滑稽な優越意識、作者の皮肉なスタンスが消えているのはもちろんですが、

witty と sparkling がヒキガエル自身のことばであるという事実関係が表現されていません。ということは、作者の頭の中にあった光景と、翻訳を読んで得られる光景が一致していないということになります。したがって、この訳は「現実との対応[4]」というレベルで失敗している例です。

ちなみに、「現実」に対応させるにはどう訳せばよいのでしょうか？

> ある朝のこと、少女は物思いに沈んだようす、受け答えも上の空でした。オレ様の機知にあふれる名言も、きらりと光る返答も空振りではないかと、ヒキガエルはおかんむりです。

この訳を東京大学の１年生に見せると、みな一様にショックを受けます。文章がまるで違っているし、地の文で表現されている部分が登場人物のセリフになっているからです。「こんなこと許されるの？」と目を丸くします。

学生たちは英文和訳をさんざんやらされているので、単語には単語を当てはめるものだ、関係代名詞節は名詞にかけるものだなどという考えが染み付いていて、そうしないのは英語の訳ではないと思い込んでいます。

それにしても、地の文をセリフに変えてしまうのは、いくらなんでもやりすぎではないか、と思う人がいるかもしれません。しかし原作が描いている「世界」とより近いのが、この訳であることは誰しも明らかです。また、この英文のレトリックを日本語に移そうとするのは不可能です。

しかし、原作の読者が頭に浮かべる「世界」を、翻訳の読者の頭にもたらしてくれるのは、こちらの訳であり、石井桃子訳ではありません。翻訳において、語彙・文法形式の合致と、描き出す「世界」の正確さのどちらが重要か、そんなことは自明です。作者の描いた「世界」を描かない翻訳が、そもそも翻訳の名にあたいするでしょうか？

この例を見てしまったら、「翻訳テクストの成否は原テクストが描いている世界と対応しているかどうかで決まる」という最初に述べた原則が、実用テクストばかりか文学テクストの翻訳についても当てはまるということに、異議を唱える人はもはやいないでしょう。文学テクストの場合も、実用テクストと同じように、原テクストが描く「世界」との関係によって翻訳を論じなければなりません。

これはなんと大胆不敵な主張でしょうか！ 原テクストの文法的・語彙的特徴はまったく無視してよいと主張しているのです。無視してよいどころか、そんなものには「一昨日おいで」と言っているのです。学問的な言い方では「関連性がない（irrelevant）」と断じているのです。ベンヤミンの、「翻訳とは純粋言語を志向すべきものだ」というメタフィジックを鼻であしらっているのです。ベンヤミンがあれほど軽蔑的に語った「意味」重視の翻訳こそ、翻訳論で論じるべき事柄であるといけしゃあしゃあと主張しているのです。

「意味」のアトム化

しかし事はそれでは終わりません。今日の話は、従来の「直訳・意訳」という枠組みそのものを解体・スクラップしようとしています。そして、そのことを実例によって示そうとしています。

次にご覧いただくのは、カナダの作家モンゴメリの名作『赤毛のアン』です。孤児のアン・シャーリーがマシューとマリラという年取った兄妹に引き取られ、この二人にとってかけがえのない存在になっていくという物語です。

第37章で、アンが心から慕っているマシューが、ある朝とつぜん亡くなります。その日は人との対応などで忙しく動きまわり、悲しみを感じる余裕もなく、感情が麻痺したような状態になっています。夜おそく、アンはやっと自分の部屋で一人きりになれました。アンは窓辺にひざまずきましたが、それでも涙は出てきません。それに続く一節、まずは次の日本語を読んでください。

> 涙はない
> 同じ惨めな鈍痛のみ
> それは痛み続けた

> アンは眠りにおちた
> アンは疲れきっていた
> 一日の（胸の）痛みと興奮

情報を箇条書きしていますが、意味はばっちり分かりますね？　では次に、もとの英語がどう書かれているか、ご覧ください。

> — no tears, only the same horrible dull ache of misery that kept on aching until she fell asleep, worn out with the day's pain and excitement. (Montgomery p.354-355)

較べてみると、上の日本語は、英語の原作から接続詞や文の接続のための機能語を取り去って、単純な主語＋述語のかたちで、そこに述べられている情報のみを取り出したものだということがお分かりでしょう。つまり情報的な「意味」を最小の単位、すなわち「アトム」にまで分解しているのです。

接続句を除いた原文と対照させましょう。

no tears	涙はない
the same horrible	
dull ache of misery	同じ惨めな鈍痛
it kept on aching	それは痛み続けた
Anne fell asleep	アンは眠りにおちた

Anne was worn out	アンは疲れきっていた
the day's pain	
and excitement	一日の（胸の）痛みと興奮

まるで作家の創作メモのようです。翻訳論の授業なら、ここで問題を出します。

【問い】君は小説家だとする。主人公アンの恩人が突然亡くなった夜に起きたことと、そのときの心境について、上のような内容を書こうとしている。このメモを用いて、君ならどのような文章にまとめるだろうか？

ここの重要なポイントは、上のように単純な情報に分解したセンテンスだけを読んでも、意味が分かってしまうということです。作家が執筆する時のことを想像してみましょう。まず、風景であれ、シーンであれ、人物の心の思いであれ、言葉になる以前の音声なり映像なりが頭に浮かんでいるはずです。それを言語化するときにはじめて機能語が加えられ、文章となります。

翻訳者の仕事は、まず、与えられた文章を手がかりに、作者の頭の中のどろどろの原形質を自分の頭の中に再現することでなければなりません。そしてそこから、作家のかわりに別の言語で創造しますが、その場合に、情報をどのようにつないでいくか、つまり、どのような接続表現を用いるかは、その言語特有の約束ごとに従うというのが、文章作法として正しいことは言うまでもありません。

日本語を書くのだから、日本語の作法に従わねばなりません。そんなことは当然です。

例えば、高校生なら、原文をこう訳すでしょう。

> 涙はなく、彼女がその日の痛みと興奮で疲れ果てて、眠るまで痛み続けた惨めな恐ろしい鈍い痛みだけだった。

「高校生」ばかりではありません。公刊されているものにもこれに類するものがあります。(5)

(A) 涙は出ないが、一日ずっとアンをしめつけている鈍い痛みに押しつぶされそうだった。一日の緊張と興奮に疲れ果てて眠るまで傷みは続いた。

(B) 涙は出てくれず、いつまでも恐ろしい苦しみで胸がしめつけられるように感じた。涙がアンをおとずれたのは、一日の悲しみと緊張で疲れはてて、眠りにおちてからのことだった。

(A)(B) ともに学習英文法にとらわれていることは明らかです。

(A) についていうと、関係代名詞は形容詞節であり、日本語では修飾語はふつう前に付けるというのが、学校英文法で教えてくれるところです。untilは辞書通りに「...まで」と訳されています。(B)ではit was not until ...that〜を学校で教わる訳の公式通り（「...してはじめて〜」）に訳されています。

しかも、文法にとらわれるあまり、描かれた「世界」にゆがみが生じていることがお分かりでしょうか？

(B)は「眠っていて涙が出た」と言いたいのでしょうか？だとすれば、明らかに原文が描く「世界」とは違っています。(6)

ここでとくに注目していただきたいことが一つあります。それは接続表現（関係代名詞のthatと接続詞のuntil）は、意味的には、原作の英語において用いる必然性がまったくないということです。取り除いて書いてみましょう。

> There was only the same horrible dull ache of misery.
> It kept on aching. Anne fell asleep. She was worn out.
> The day's pain and excitement.

どうでしょう？ これで十分に意味が通ります。では、なぜthat とかuntil が原文にあるの？ と尋ねたくなるかもしれません。「そんなの英語の勝手でしょ」というのが答えです。

もう少し真面目に答えるなら、そのように書くことで、文章がくだけた口語的な感じから、フォーマル（高級）な雰囲気になるからです。さらにいうなら、この操作によって、20世紀初頭の読者が小説に期待したような、少し硬めの文体になっているのです。

また、worn out 以下が直前に述べられたことの理由であることは、接続詞や前置詞がなくても分かります。すなわち、「痛みが続いたけれど、アンは眠りにおちた。一日中心が痛み、高ぶった気持ちで過ごしていて、疲れきっていたのだから、それも当然だ」という論理関係が十分に分かります。アンが眠りにおちたという情報と、「一日つづいた痛みと興奮でくたくただった」という情報から、左様に論理づけるのが定石かつ常識というものです。

作者としては、例えば、そう書くかわりに「ベッドがふわふわで気持ちがよかった」と書いてもよかったし、実際にその通りだったかもしれません。しかしわざわざ「疲れていた」という情報を選んで、そう記しているのだから、それを理由として伝えたかったということが分からなければいけません。それが英語の書き方であり、そう読むことのできるのが文明人です。

なぜ文明人ならそう読めるのか、言語学者には説明する義務があるかもしれません。しかし、私はうだつのあがらない一介の翻訳論の研究者なのでその義務はありません。そのように読む能力が、先天的であれ、後天的であれ、文明の中に生きている普通の人間には備わっているのだ、由来などどうでもいい、ともかくそうなんだから仕方ないじゃないですか、といって澄ましていられます。情報が２つ並んでいれば、何がなんでもその間に関係を読まずにいられない、（まさに文字通り）因果な性を人間は備えています。

以上の考察を踏まえて、同じ「世界」を読者に伝えるのにわざと冗長に、論理関係を明示化して書くこともできます。

> — she still couldn't cry, but only felt the same horrible dull ache of misery. Which kept on aching for a long time, but she fell asleep at last, because she was very tired. It was a day so full of pain and excitement that she couldn't stay awake any longer.

あるいは、まったく同じ情景をこうも書けます。

> — no tears, only the same horrible dull ache of misery that kept on aching until she fell asleep, worn out with the day's pain and excitement.

そしてモンゴメリは実際にこう書きました。さあ、今度は日本語に訳してみましょう。

> やはり涙は出てこない。ただ、あのいやな鈍痛がいつまでも胸にずきずきと感じられるばかりだ。そのうちアンは眠りにおちた。一日中、心の痛みと興奮がつづいたのだ。もう限界だった。

これは私の訳です。どうでしょう？ 日本語でしょ？ すっきりと意味が通っているでしょ？ これが原作の著者、そして読者が頭に描くのとほぼ相似の「世界」です。

「もう限界だった」なんて、どこにも書いてないじゃないかと思うかもしれません。

しかし、先の文章をモンゴメリが書いた時には、worn out by the day's... という実際に書いた言葉のほかに、tired out、exhausted、blackout、couldn't be helped、couldn't stay awake a moment longer など、実際には書かれなかった表現が無数に存在したはずです。作者の頭の中、あるいは意識の下に渦をまいていたはずです。そのような語句やイメージが重なりあって、言語表現を生み出す母体（マトリックス）を構成しています。そして、このマトリックスから適切な表現を引っ張り出してくるのが、翻訳者の役割です。[7]

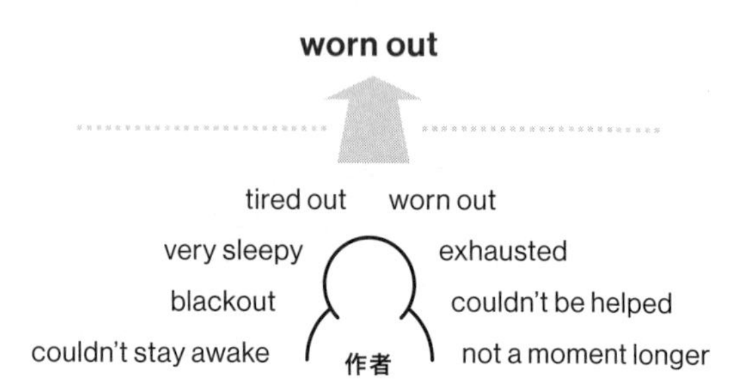

意味とコミュニケーション

ここまでのところを翻訳の手順という観点から整理すると、次のようになります。

[第1段階]
作者が描いた世界を正しく理解し
言語表現を生むマトリックスを再現する

[第2段階]
原作の言語表現を解体し
原語固有の接続表現を排除し
単純な情報に還元する

[第3段階]
箇条書きの単純な情報を
翻訳語に固有の接続表現を用いて
原作と相似の世界を描き出す

以上から生じる重要な帰結を2つ述べておきます。まずは、翻訳の実践にとって大きな意味をもつ事柄です。すなわち、

(a) 接続表現（for、because、so...that...、who、which、when、whileなど）は翻訳の対象ではない。

接続表現やそれに類する機能語[8]は、基本的には「世界」との対応を伝えるというより、主として作者の叙述のスタンスを伝えるものであり、文体的な差異をもたらす道具です。言語ごとに独自のものであり、用法が大きく異なるので、単純に辞書の訳語で置き換えることは極力避けなければなりません。文脈から論理関係や筆者の意図を厳密に判断した上で、目標言語の文法・文体にしたがって（順序も含めて）適切な形に組み直さねばなりません。

もう1つの、もっと重要な帰結は「翻訳とは何か」という問題に根本的に関わってきます。

(b) 翻訳とは言語レベルの置き換えではなく、コミュニケーションのレベルの転換である。そして、コミュニケーションとは、作者と読者が「世界」を共有する「出来事」である。

原作の作者が脳中に描き、伝えようとしている「世界」についての情報やアイデア[9]に直接アクセスし、別の言語で再現するのが翻訳という行為です。すなわち、作者が執筆する前に「世界」についての情報・アイデアが存在し、次いでそれが作者独自の言語によって表現されていますが、その言語表現から「世界」を頭の中に再構成し、それを別の言語で忠実に表現するのが本来の翻訳という行為です。

翻訳をこのように捉えるなら、原テクストの文法的形式や、言語間の語彙の対応にこだわる「直訳」が割り込んでくる余地はまったくありません。かといって、ここに述べた「翻訳」には「意訳」という語も該当しません。

「意訳」というのは、あくまでも「直訳」とのペアで意味をもちますが、その「直訳」という概念がこの定義ではまったく無意味（irrelevant）なので、「意訳」という概念も無意味である、というのが理由の一つです。

しかしより根本的には、次のように言うことができます。従来の「意訳」は「直訳」と同じく「意味」は語彙と文法形式とほぼ同義であるという考えを前提とした言語観の上に成立している概念ですが、ここに述べた翻訳観は、まず「意味」があり、それを伝達（communicate）するために、たまたま何らかの言語が用いられ、その言語固有の文法形式や語彙が選ばれて発話がなされている、という考え方です。

ずばり「意味は言語に先行する」が公理です。

文学テクストはどこが違うか

本日の話は、実用テクストと文学テクストを分けるところから出発しました。「世界」との対応にもとづく翻訳定義が、実用テクストと文学テクストのどちらにも当てはまるものであるなら、そのような区別をする必要はないのではないかと思われるかもしれません。

では、実用テクストと文学テクストは何が違うのでしょう？

実用テクストは作者が描いた「世界」を伝えることのみが目的であるのに対して、文学テクストは、それに加えて、さらに伝えるべき情報や事柄を重層的に持っています。この点で、両者のあいだには決定的な差異があります。そのことは、本章に例として挙げた作品にすでに明らかです。

*The Wind in the Willows*の先ほどの一節には、ヒキガエルの滑稽な虚栄心、馬鹿げた階級意識、作者の皮肉な目などが表現されています。そしてその情報はwitty, sparkling, proper, graciouslyなどの語に埋め込まれていますが、そのことはどんな文法書も教えてくれません。文学的コミュニケーションに親しんだ者のみが解読できる事柄です。

『赤毛のアン』の一節では、全体に流れている悲しみの感情がそれです。加えて、フォーマルな文体も忘れてはなりません。フォーマルでありながら、すなおで簡潔な美がそこにはあります。

私は従来から、このような文学的要素を「文学的なプラスα」と呼んできました。網羅するのは不可能ですが、例えば次のようなものです。すなわち、作品のもつ効果(喜怒哀楽、笑いなど)、作品の構造や仕掛け、文体的特徴、暗黙の主張や思想的ニュアンス、「語り」の様態、文化特有の芸術様式、詩・小説・演劇などの形式、音韻的特徴等々です。これに加えて、原文の文法や語彙の薫香をも挙げておいてもよいでしょう。いわゆる「翻訳調」の文体は、それをプラスと考えるか否かは別として、このリストに入れておくべきでしょう。それにこそ「文学性」を感じる人もいるでしょうから。

こうした要素は、どんな文学作品にも重層的に入り込んでいます。そして言うまでもなく、すべての要素を1つの翻訳に盛り込むことは、理念としては理想かもしれませんが、事実上は不可能です。

新たな翻訳モデルと翻訳論の課題

最後に、以上に述べたことを総合して、新たな翻訳モデルを提示しておきましょう。

文学作品の翻訳でも、機能語、接続表現をなくし、文学的装飾を剥ぎとったものを考えることができます。例えば『赤毛のアン』の前掲の一節ならこうです。

> 同じ惨めな鈍痛。
> それは痛み続け、
> アンは眠りにおちる。
> 疲れきっていた。
> 胸の痛みと興奮の一日。

どうでしょうか？ まるで詩のようですが、文学的装飾を可能な限り削ぎ落としているという意味で、ロラン・バルトのひそみにならって「零度の訳」と呼んでおきましょう[(10)]。これに対して、

> やはり涙は出てこない。ただ、あのいやな鈍痛がいつまでも胸にずきずきと感じられるばかりだ。そのうちアンは眠りにおちた。一日中、心の痛みと興奮がつづいたのだ。もう限界だった。

この訳は語り手が主人公の心の内側に入り込んで、同情たっぷりに描いています。文学的要素が極大かどうかは知りませんが、これが「文学的翻訳」です。

図式的にいうなら、「零度の訳」に様々の文学的要素を加えていくことで、より文学的な濃度の高い訳となっていきます。

これが私が提案する文学作品の翻訳モデルです。ここから演繹される帰結は、ずばり翻訳研究は究極的には文学研究にして文体研究であるということです。そして、この帰結をもとにすれば、翻訳論の使命が自ずから浮かび上がってきます。すなわち、この新たなモデルから出発して、

1. 翻訳すべき文学的要素とは何かを究明する
2. 様々の文学的要素の意味作用を明確にし記述する
3. 原テクストと翻訳テクストの相似性に寄与する要素は何かを考察する
4. 「直訳」を一つの思想として歴史の中に位置づける
5. 新たな翻訳方法と、新たな翻訳評価の方法を探求する

新たな翻訳モデル

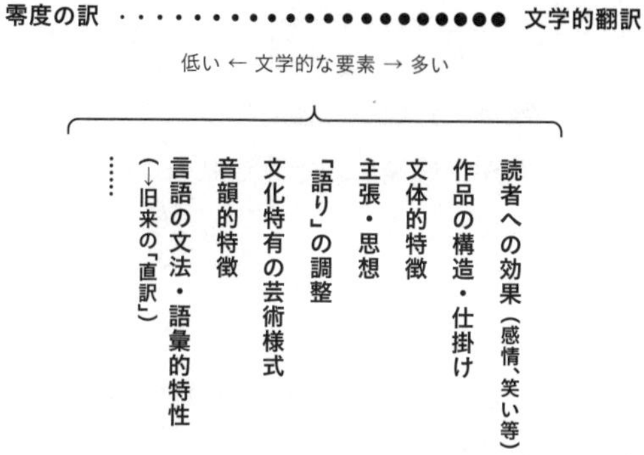

零度の訳 ・・・・・・・・・・・・・・・・・・・・・・●●●●● 文学的翻訳

低い ← 文学的な要素 → 多い

- 読者への効果（感情、笑い等）
- 作品の構造・仕掛け
- 文体的特徴
- 主張・思想
- 「語り」の調整
- 文化特有の芸術様式
- 音韻的特徴
- 言語の文法・語彙的特性（→旧来の「直訳」）
- ……

翻訳研究が、「直訳/意訳二元論」という洋の東西2000年に及ぶ歴史的しがらみを清算し、そこから開ける新たな大洋に乗り出して実り豊かな大陸が発見されますよう！

あとがき

この本を執筆した経緯や目的については「はじめに」に記しましたが、最後に、それぞれの章の内容を簡潔にまとめておきましょう。

第1章：『雪国』の冒頭はどのように翻訳されているか
第2章：日本文学が世界にどのように紹介されているか
第3章：翻訳小説が誰の視点から書かれているか
第4章：実用翻訳は翻訳研究の対象ではないということ
第5章：「直訳」へのこだわりがどこから生まれてくるのか
第6章：『ホビット』が日本語、映画にどう「翻訳」されるか
第7章：小説の文体はどのように翻訳されるのか
第8章：翻訳（論）の今後についての革新的な提言

第1章から第3章は主として日本文学の英訳、第4章は実用翻訳と文学翻訳についての理論的考察、第5章から第7章は主として英語の文学作品の日本語への翻訳、そして全体をまとめ上げ、統一的な視点をあたえるかたちで、2019年3月9日に行った私の最終講義をもとにして、第8章が書かれています。

私は長年翻訳について教えてきましたが、私の耳には、たえず、お前はほんとうには何も分かっていないのだという声が聞こえていました。

例えば翻訳の議論には「直訳」と「意訳」という二分法がつきものですが、それぞれが何を意味するのか、よく分かりません。その対象や意味は人によって違っているばかりか、それが何であるかをきちんと定義して教えてくれる書物も見当たりません。

西欧の「翻訳学」が輸入されつつありますが、たいていの人は西欧で言う逐語訳・自由訳を、それぞれ日本の従来の直訳（←逐語訳）・意訳（←自由訳）と同じものとして論じます。はたしてそれは正しいのでしょうか？ 西欧語同士と、西欧語と日本語では、その間の距離がまったく異なっており、それはもはや質的に異なったものとして扱う必要があるのではないかというのが私の直感ですが、そのことについても誰も議論してくれません。

また、実用文と文学とはふつう区別されますが、何が違うのか？　翻訳する場合はその区分がどう関わってくるのか、そんなことも、鈍重な私が納得できるように、具体的なかたちでは誰も教えてくれません。

文化の翻訳ということが言われ、例えば、太宰治の小説の「白足袋」を“white glove”に訳したという、ドナルド・キーンの有名な話がよく引用されます。このような例は面白いエピソードではありますが、それだけでは雑学のレベルにとどまります。文化翻訳の研究ってそんなものでいいの？　と思ってしまいます。

このようなことに増して、私には、とても不思議なことがあります。アルファベットで書かれた文章が日本語の文章になり、しかも「意味」が通じている！　そしてその逆もしかり。そもそも、そんなこと自体が、私にとっては不思議で、不思議でたまりません。

そのような皆が「あたりまえ」と思って疑問にしないことが、私にとっては大きな問題で、それに答えないことには、もう一歩も進めないという気持ちになりました。科学の世界では工学などの応用に対して、ものの基本的成り立ちを研究する基礎研究というものがあります。少し格好をつけるなら、私がこの本で行おうとしたことは、翻訳の基礎研究であると言いたいと思います。

この本に書かれていることは、長い間の私自身の翻訳経験、東京大学の学部学生たちに翻訳論の基礎を教えた経験がもとになっていますが、それよりも大学院生の皆さんと教室で翻訳について論じ、論文指導で充実した時間をすごしたこと、そして朝の散歩のかたわらに妻の泰子、そして犬を聴衆として話し、意見を聴くことで成長し、成熟してきた部分が大きいことを、言葉では言い尽くせない感謝の気持ちをこめて記させていただきます。そして最後になりましたが、朝日新聞出版の齋藤太郎さんには、いつもながら、本書の企画から内容についてのサジェスチョンまで、とてもお世話になりました。この場をかりて感謝の言葉を記させていただきます。

2020年5月

山本史郎

章注

第1章

（1）この章は、『もう一つの日本文学史』（国文学研究資料館編，2016年3月勉誠出版より刊行）所収の拙論「『雪国』の白い闇」に基づいています。本書での使用を快く許可くださった同出版社に感謝します。
（2）『誤訳・迷訳・欠陥翻訳』（文藝春秋，1981）を参照のこと。
（3）このような訳のことを翻訳の議論ではグロス（gloss）と言います。
（4）2000年7月18日付のJapan Timesの'The art and artistry of translation'を参照のこと。また、サイデンステッカーが『雪国』の冒頭の翻訳について語っている談話（Richie p.28-30）も興味深い。

第2章

（1）日本での翻訳議論に慣れている人は、このモリスの訳を「翻案」と呼びたくなるかもしれませんが、英語ではこれもtranslationです。そして、私がこの本で考えている「翻訳」はまさに英語のtranslationに相当します。
（2）Venuti2008の第1章に詳しく書かれています。
（3）現代語訳ともに小学館「日本古典文学全集」の『源氏物語1』からの引用。

第3章

（1）M. Harrisは「ムッシュー・ハリス」です。念の為。

第4章

（1）Lawsの原著を一部変更。邦訳は山本史郎訳『図説世界史を変えた50の鉄道』（原書房，2014）
（2）https://en.wikipedia.org/wiki/Steam_locomotive
（3）なお、5年ほど前にこの文章を初めて授業で使ったときには、最初の文が'Steam locomotives were first developed in Great Britain during the early 19th century and railway transport until the middle of the 20th century.'でした。つまりandとrailwayの間のused forが抜けていました。それでも意味が十分に分かり、実用上何の問題もないということ自体が、はしなくもこの文の性質を物語っています。
（4）ロシアフォルマリズムの「異化作用」を参考のこと。
（5）シュライアマハー「翻訳のさまざまな方法について」（三ツ木 p.24-71）

第5章

（1）https://www.scripture4all.org
（2）例えば https://www.jw.org/en/。
（3）ドイツ語の原文では 'die reine Sprache gestaltet der Sprachbewegung *zurückzugewinnen*'（Benjamin p.15）、英語訳では '*regain* pure language fully formed in the linguistic flux'（Venuti2004, p.81）となっています（イタリックはともに山本）。
（4）新しい言語を作るという明治初期のモメンタム、欧米の文法が唯一の「文法」だという意識、日英の間で文法形式が対応するという錯覚、その「正しい」文法形式を読み取って一般に教えるのが翻訳の役割だという意識などがまじっています。こうした様々の力の作用の分析が切に待たれます。

第6章

（1）以下にご紹介する『ホビット』の訳、それについての考えは、2012年の改訳版に基づいています。1997年版からはずいぶん進化しています。私が『ホビット』に育ててもらったというのは、そのことです。
（2）「逐語訳が絶対だと思っている」と言っても様々のレベルがあります。「意味は英文法が作り出している」と無意識で感じている人もこのカテゴリーに含まれます。
（3）私の造語です。言語になる前に、頭の中に存在している考え・意味・イメージのことです。抽象的な概念ではなく、文脈をも含んだ多分に視覚的なものとして考えています。
（4）監督はピーター・ジャクソン、主演はマーティン・フリーマン、ワーナー・ブラザーズ配給の3部作。第1部「思いがけない冒険」（*An Unexpected Journey*）、第2部「竜に奪われた王国」（*The Desolation of Smaug*）、第3部「決戦のゆくえ」（*The Battle of the Five Armies*）。

第7章

（1）拙訳『完全版 赤毛のアン』（原書房，2014）の訳から少し変更しています。

第8章

（1）原著では'To begin with, make two turns with the rope, with the right strand on top of the left strand. Then fold the left crossing turn so that it lies on top of the right one. Open a screwgate karabiner and slide first the left then the right crossing turns onto the karabiner.'(Stronge p.71）となっていましたが、山本が誤りを指摘した結果、原著者より、訂正版（本文のもの）が送られてきました。

（2）ただしロープの例は微妙で、実際には図がないとうまくいかない可能性が高いと思いますが、ここでは大目に見てください。

（3）映画版（Mark Hall(director), *The Wind in the Willows*(DVD), Fremantle Home Entertainment, 2013）からの書き起こし。

（4）この場合は、想像された「現実」。

（5）ただし、現実のものを引用すると「誤訳指摘」のように見えてしまうかもしれず、それはまったく私の念頭にないので、あえて公刊された数種類から私が作った例です。

（6）この例は、文法形式を絶対視して、それに意味を合わせている例を示していて、きわめて興味深い。すなわち「文法が意味に先行する」例です。「辞書が意味に先行する」例もあります。これは逐語派の思考法であり、「直訳・意訳」の二項対立はそこから出てきます。

（7）第6章で「魔法使いは魔法使い」に付け加えた「くわばらくわばら」も「マトリックス」から引き出してきた語です。

（8）長いものも含みます。例えば、第2章で指摘したウェイリー訳のBut to return to the daughterも接続のための機能表現です。「話をもとの筋にもどす」という記号として機能しているからです。

（9）第6章で詳述した「意味空間」のことです。

（10）「零度の訳」は理念上の構築物であり、その純粋な形が現実に存在するかどうかは問題ではありません。

引用文献

芥川龍之介『芥川龍之介全集 第1巻』岩波書店, 1977.

上橋菜穂子『精霊の守り人』偕成社, 1996.

大山定一, 吉川幸次郎『洛中書問』筑摩書房, 1974.

ギャスケル, エリザベス（オースティン, ジェイン）『高慢と偏見 下巻 附クランファド』平田禿木・野上豊一郎譯,國民文庫刊行会, 1928.

カフカ, フランツ『変身』高橋義孝訳, 新潮文庫, 1966.

熊倉千之『日本人の表現力と個性』中公新書, 1990.

グレアム, ケネス『たのしい川べ』石井桃子訳, 岩波書店, 2002.

小池滋『英国鉄道物語』晶文社, 1979.

サリンジャー, J.D.『ライ麦畑でつかまえて』野崎孝訳, 白水社, 1984.

サリンジャー, J.D.『キャッチャー・イン・ザ・ライ』（ペーパーバック・エディション）村上春樹訳, 白水社, 2006.

シモンズ, アーサー『表象派の文学運動』岩野泡鳴譯, 新潮社, 1913.

スタイナー, ジョージ『バベルの後に（上）』亀山健吉訳, 法政大学出版局, 1999.

谷崎潤一郎『蓼喰う虫』新潮文庫, 1969.

トウェイン, マーク『ハックルベリー・フィンの冒けん』柴田元幸訳, 研究社, 2017.

トールキン, J.R.R.『ホビット』山本史郎訳, 原書房, 2012.

夏目漱石『漱石全集 第2巻』岩波書店, 1966.

夏目漱石『漱石全集 第3巻』岩波書店, 1966.

野上豊一郎『翻譯論 — 翻譯の理論と實際』岩波書店, 1938.

フィールディング, ヘンリー『トム・ジョウンズ（一）』朱牟田夏雄訳, 岩波文庫, 1986.

別宮貞徳『翻訳を学ぶ』八潮出版社, 1975.

三島由紀夫『決定版 三島由紀夫全集 第19巻』新潮社, 2002.

三ツ木道夫（編訳）『思想としての翻訳 — ゲーテからベンヤミン、ブロッホまで』白水社, 2008.

村上春樹『ノルウェイの森（上）』講談社文庫, 2004.

紫式部『源氏物語１』(「日本古典文学全集」), 小学館, 1970.

森鷗外『鷗外全集 第12巻』岩波書店，1972.
ヤーコブソン，ロマーン『一般言語学』川本茂雄監修，みすず書房，1973.

Akutagawa, Ryunosuke (Kojima, Takashi tr), *Rashomon and Other Stories*. Tokyo: Tuttle Publishing, 1952.
Akutagawa, Ryunosuke (Jay Rubin tr.), *Rashomon and Seventeen Other Stories*. London: Penguin Books, 2006.
Benjamin, Walter, *Baudelaire Übertragungen*. Hamburg: Tredition.
Christie, Agatha, *Murder on the Orient Express*. New York: Berkley Books, 2000.
Dickens, Charles, (Tillotson, Kathleen ed.), *Oliver Twist*. Oxford: Clarendon, 1966.
Dickens, Charles, (Horsman, Alan ed.), *Dombey and Son*. Oxford: Clarendon, 1974.
Fielding, Henry, *Tom Jones*. Middlesex: Penguin Books, 1966.
Gaskell, Elizabeth, *Cranford*. London: Penguin Books, 1976.
Grahame, Kenneth, *The Wind in the Willows*. London: Penguin Books, 1994.
Howe, Irving etc. (ed.), *Short Shorts*. New York: Bantam Books, 1983.
Kafka, Franz, *Die Verwandlung*. Stuttgart: Universal-Bibliothek (Reclam), 1978.
Kawabata, Yasunari (Edward G. Seidensticker tr.). *Snow Country*. Japan; Tuttle, 1957.
Kawabata, Yasunari (Sawa Nakamura Deangelis and Luca Lamberti tr.). *Il paese delle nevi*. Torino: Einaudi, 1959.
Kawabata, Yasunari (Bunkichi Fujimori and Armel Guerne tr.). *Pays de neige*. Paris: Albin Michel, 1960.
Kawabata, Yasunari (Oscar Benl tr.). *Die Tänzerin von Izu ; Tausend Kraniche ; Schneeland ; Kyoto : ausgewählte Werke*. München : Carl Hanser, 1968.
Laws, Bill, *Fifty Railways that Changed the Course of History*. Newton Abbot: David & Charles Book, 2013.

Marlowe, Christopher, *The Compete Plays*. London: Penguin Books, 1969.
Mishima, Yukio, *Death in Midsummer and other Stories.* New York : New Directions Publishing Corporation, 1966.
Montgomery, L.M., *Anne of Green Gables.* London: Penguin Books, 1995
Murakami, Haruki, (Jay Rubin tr.), *Norwegian Wood*. London: Vintage Books, 2000.
Rendell, Ruth, *Blood Lines*. London: Arrow Books, 1995.
Richie, Donald (ed.), *Words, Ideas, and Ambiguities - Four Perspectives on Translating from the Japanese.* Chacago: Imprint Publications, 2000.
Salinger, J.D., *The Catcher in the Rye*. Middlesex: Penguin Books, 1958.
Seidensticker, Edward G. (tr.), *The Tale of Genji* (abridged edition). New York: Vintage Books, 1990.
Strong, Charles, *SAS And Elite Forces Guide: Ropes and Knots*. London: Amber Books, 2011.
Symons, Arthur, *The Symbolist Movement in Literature*. New York: E.P.Dutton and Co. INC., 1958.
Tanizaki, Junichiro, (E. G. Seidensticker tr.), *Some Prefer Nettles*. New York: Vintage Books, 1955.
Tolkien, J.R.R, *The Hobbit*. London: George Allen and Unwin, 1966.
Tolkien, J.R.R, Der *Hobbit*. Stuttgart: Klett-Cotta Verlag, 1998.
Twain, Mark, *Adventures of Huckleberry Finn* (Illustrated First Edition). New York: SeaWolf Press, 2018.
Uehashi, Nahoko, (Hirano, Cathy tr.). *Guardian of the Spirit* (*Moribito*). New York: Scholastic Paperbacks, 2009.
Venuti, Lawrence (ed.), *The Translation Studies Reader* (Second Edition). New York: Routledge, 2004.
Venuti, Lawrence , *The Translator's Invisibility* (Second Edition). New York: Routledge, 2008.
Waley, Arthur (tr.), *The Tale of Genji* (Volume One). Tokyo: Charles E. Tuttle Co., 1970.

山本史郎　やまもと・しろう
1954年、和歌山県生まれ。東京大学名誉教授。昭和女子大学特命教授。英文学者。翻訳家。東京大学教養学部教養学科卒業。著書に『読み切り世界文学』『名作英文学を読み直す』『東大の教室で「赤毛のアン」を読む』など、共著に『毎日の日本 英語で話す！ まるごとJAPAN』『教養英語読本Ⅰ・Ⅱ』など、訳書に『ホビット』『アーサー王と円卓の騎士』『完全版 赤毛のアン』『自分で考えてみる哲学』など多数。

朝日新書
768

翻訳の授業
東京大学最終講義

2020年6月30日第1刷発行
2024年6月30日第2刷発行

著者　山本史郎

発行者　宇都宮健太朗
カバーデザイン　アンスガー・フォルマー　田嶋佳子
印刷所　図書印刷株式会社
発行所　朝日新聞出版
〒104-8011　東京都中央区築地5-3-2
電話　03-5541-8832（編集）
　　　03-5540-7793（販売）

Published in Japan by Asahi Shimbun Publications Inc.
ISBN 978-4-02-295068-0
定価はカバーに表示してあります。

朝日新書

負けてたまるか！ 日本人
私たちは歴史から何を学ぶか

丹羽宇一郎
保阪正康

「これでは企業も国家も滅びる！」。新型ウイルスの災厄に見舞われた世界情勢の中、日本の行方と日本人の生き方もまた、かつてなく混迷と不安の度を深めている。今こそ、確かな指針が必要だ。ともに傘寿を迎えた両者が、待望の初顔合わせで熱論を展開。

SDGs投資
資産運用しながら社会貢献

渋澤 健

SDGs（持続可能な開発目標）の達成期限まで10年。渋沢栄一『論語と算盤』の衣鉢を継ぎ、楽しくなければ投資じゃない！ をモットーに、投資を通じて世界の共通善＝SDGsに貢献する方法を詳説。着実に運用益を上げるサステナブルな長期投資を直伝。

テクノロジーの未来が腹落ちする25のヒント

朝日新聞「シンギュラリティーにっぽん」取材班

AI（人工知能）が人間の脳を凌駕する「シンギュラリティー」の時代が遅からず到来する？ 医療、金融、教育、政治、治安から結婚までさまざまな分野で進む技術革新。その最前線を朝日新聞記者が国内外で取材。人類の未来はユートピアかディストピアか。

「郵便局」が破綻する

荻原博子

新型コロナ経済危機で「郵便局」が潰れる。ゆうちょ銀行の株安は兆単位の巨額減損を生み、復興財源や株式市場を吹っ飛ばしかねない。「かんぽ」に続き「ゆうちょ」でも投資信託など不正販売が問題化。郵便を支えるビジネスモデルの破綻を徹底取材。

人類対新型ウイルス
私たちはこうしてコロナに勝つ

トム・クイン
塚﨑朝子 補遺
山田美明 荒川邦子 訳

新型コロナウイルスのパンデミックは一体どうなる？ ウイルスによる過去最悪のパンデミック、1世紀前のスペイン風邪は死者5000万人以上とも。人類対新型ウイルスとの数千年の闘争史を活写し、人類の危機に警鐘を鳴らした予言の書がいま蘇る。

朝日新書

関ヶ原大乱、本当の勝者

日本史史料研究会／監修
白峰 旬／編著

家康の小山評定、小早川秀秋への問鉄砲、三成と吉継の友情物語など、関ヶ原合戦にはよく知られたエピソードが多い。本書は一次史料を駆使して検証し、従来の〝関ヶ原〟史観を根底から覆す。東西両軍の主要武将を網羅した初の列伝。

翻訳の授業
東京大学最終講義

山本史郎

めくるめく上質。村上春樹『ノルウェイの森』、芥川龍之介『羅生門』、シェイクスピア「ハムレット」、トールキン「ホビット」……。翻訳の世界を旅しよう！ AIにはまねできない、深い深い思索の冒険。山本史郎（東京大学名誉教授）翻訳研究40年の集大成。

コロナが加速する格差消費
分断される階層の真実

三浦 展

大ベストセラー『下流社会』から15年。格差はますます広がり、「上」と「下」への二極化が目立つ。コロナはさらにその傾向を加速させる。バブル・氷河期・平成3世代の消費動向から格差の実態を分析し、「コロナ後」の消費も予測する。

シニアのための なぜかワクワクする片づけの新常識

古堅純子

おうちにいる時間をもっと快適に！ シニアの方の片づけには、この先どう生きたいのか、どう暮らしたいのか、限りある日々を輝いてすごすための「夢と希望」が何より大切。予約のとれないお片づけのプロが、いきいき健康に暮らせるための片づけを伝授！